LA
CHANSON
DE ROLAND
ET
l'Histoire de France

DU MÊME AUTEUR

LA FRANCE ET LES HUIT HEURES (en collaboration avec A. François-Poncet).

PETITE HISTOIRE DES FINANCES DU CARTEL (en collaboration avec F. F.-Legueu).

L'EXPÉRIENCE FINANCIÈRE DE M. RAYMOND POINCARÉ.

LES MIRACLES DU CRÉDIT.

LES POÈMES HOMÉRIQUES ET L'HISTOIRE GRECQUE :
   I. *HOMÈRE DE GHIOS ET LES ROUTES DE L'ÉTAIN.*
   II. *"L'ILIADE", "L'ODYSSÉE" ET LES RIVALITÉS COLONIALES*

ÉMILE MIREAUX
de l'Institut

LA CHANSON DE ROLAND
ET
l'Histoire de France

LES CHEFS-D'ŒUVRE ET L'HISTOIRE

ÉDITIONS
ALBIN MICHEL
22, Rue Huyghens
PARIS (14e)

Droits de traduction et reproduction réservés pour tous pays.
Copyright 1943, by ALBIN MICHEL.

INTRODUCTION

HISTOIRE LITTÉRAIRE ET HISTOIRE GÉNÉRALE

Presque toutes les littératures débutent par les mêmes manifestations : d'une part de brèves œuvres religieuses, hymnes, prières, formulaires, récits mythologiques, vies de saints ; d'autre part de longues épopées qui seules d'ailleurs, sauf exception, méritent vraiment le nom d'œuvres littéraires. Ainsi commencèrent la littérature suméro-babylonienne avec l'épopée d'Iztubar-Gilgamès [1], la littérature phénicienne avec les récits épiques récemment découverts à Ras-Shamra, la littérature grecque avec l'épopée homérique. Ainsi enfin est née la littérature française avec la floraison des chansons de geste [2]

Trait remarquable, tous ces récits épiques, éclos

---

[1]. Iztubar est le nom sumérien de Gilgamès, nom sémitique.
[2]. Dans la seule littérature indienne, l'épopée paraît une création tardive. Mais l'étude critique des massives épopées de l'Inde est à peine commencée. Il serait bien téméraire de porter aujourd'hui un jugement sur leur formation et leurs origines.

dans des milieux très différents, séparés par des millénaires se ressemblent de manière frappante. Abondants et variés, ils chantent tous des « héros » plus grands que nature, familiers avec la divinité, aux passions simples et violentes, leurs exploits magnifiques, leurs aventures merveilleuses. Ils transportent le lecteur ou l'auditeur dans un monde surhumain où les lois de la nature sont le plus souvent violées, les habitudes de la vie normalement transgressées et qui reste néanmoins encore assez près de nous pour que nous sentions très vivement la parenté qui nous lie aux acteurs des drames peu croyables qu'ils déroulent complaisamment devant nos yeux. On dirait que, à l'aube de chaque littérature, les inventeurs d'épopées ont trouvé ou retrouvé spontanément les règles profondes de toute poésie qui est par essence un « enchantement », un « ravissement » de l'âme dans une sphère supérieure où les réalités sont transposées, où les proportions sont changées, où cependant le monde idéal né de l'imagination créatrice des poètes ne cesse pas d'être émouvant, donc d'être vrai.

Quand on considère la place de ces épopées au point de départ de toutes les grandes littératures, on est donc tenté d'écrire : « Au commencement était la poésie ». Et là est sans doute la raison profonde de la curiosité irrésistible qui a poussé tant d'esprits à la recherche des origines de l'épopée. Si l'on parvenait, leur semblait-il sans doute, à dissiper le mystère qui entoure la naissance des poèmes homériques ou des chansons de geste, peut-être arriverait-on du même coup à pénétrer dans le secret même de la création poétique. La spontanéité, la fraîcheur, la « naïveté » au moins apparente de l'inspiration des aèdes et des trouvères qui ont chanté pour les civilisations naissantes ou plutôt renaissantes de la Grèce héroïque et de la France féodale évoquaient la transparence des sources. Ainsi l'on avait le sentiment ou l'illusion de se pencher sur la source même de la poésie.

Et c'est d'ailleurs bien cette source même que toute une école a prétendu longtemps avoir découverte. L'imagination, le cœur, l'âme même du peuple avaient, soutenait-elle, créé l'épopée. Ils l'avaient créée collectivement, par un effort spontané de gestation unanime. Jaillie des événements eux-mêmes que chantait l'épopée, autour des héros qu'elle célébrait, la poésie, traduction « naïve » de l'émotion populaire s'était d'abord exprimée dans des chants lyrico-épiques, des « complaintes », des « cantilènes ». Et ce n'est que progressivement, par une évolution qui a duré des siècles, que ces récits d'allure lyrique, amplifiés, groupés, combinés étaient enfin devenus des récits épiques. Dans cette évolution, le chanteur, au moins au début, ne joue qu'un rôle de second plan; il n'est guère qu'un porte-parole; ce qu'il exprime, c'est l'émotion que tout le monde éprouve autour de lui, les sentiments de douleur, de haine, de pitié, d'admiration que ressent le groupe entier auquel il appartient. Sa part dans l'œuvre poétique n'est pas nulle assurément; elle est toujours faible; elle peut être infime. Ce n'est que plus tard, avec la différenciation de l'âme sociale que l'aède deviendra vraiment le « poète », le créateur. Mais point n'est besoin d'insister sur ces conceptions qui, sous des formes diverses, en Allemagne et en France principalement, ont pendant près d'un siècle guidé et commandé la critique de la poésie homérique, puis de nos chansons de geste.

Ces thèses, quel qu'ait été leur succès, on pourrait même écrire leur empire, n'ont, il est vrai, jamais empêché de bons esprits de penser que, dans le plus lointain passé, comme aujourd'hui, la poésie est un don que les dieux jaloux ne dispensent qu'à de rares élus, que l'œuvre d'art n'est pas seulement le fruit de l'inspiration, mais aussi le produit d'un travail conscient et réfléchi et que ce fut de tout temps « un métier que de faire un livre », ce livre fût-il une épopée. Les poèmes homériques, les chansons de geste, même s'il faut admettre, comme c'est vraisemblable, qu'ils ne nous sont parvenus que retouchés, remaniés, grossis d'additions successives, furent donc d'abord des créations personnelles, l'œuvre de poètes, qui les ont conçus, pensés, organisés dans leur esprit avant de les réaliser. Est-ce à dire que nous devons concevoir ces œuvres comme un don gratuit, sans lien aucun avec les sociétés qui les a vus naître?

Assurément non. Cette conception n'est pas plus vraie pour les œuvres « primitives », que pour celles dont nous connaissons les auteurs et l'histoire. Et le travail du critique et de l'historien consiste précisément à retrouver et à suivre ce lien qui relie toute création littéraire au public pour qui elle a été écrite et qui l'explique au moins dans une certaine mesure.

Les deux écoles dont nous venons d'esquisser rapidement, ou plutôt de rappeler les théories, se sont naturellement affrontées quand il s'est agi d'expliquer la genèse de nos chansons de geste. On a fait remarquer [1] en effet que toute la controverse sur l'origine de ces chansons pouvait se résumer en deux titres d'ouvrages : l'*Histoire poétique de Charlemagne* de Gaston Paris et les *Légendes épiques* de Joseph Bédier.

Pour Gaston Paris, les chansons de geste, filles des événements historiques, étaient issues des cantilènes, des chants lyrico-épiques surgis de ces événements eux-mêmes. Elles n'étaient que de l'histoire poétique. Et pour démontrer que telle était bien leur origine, une critique fort ingénieuse s'évertuait à retrouver le passé historique enseveli, et fort bien enfoui en vérité, sous l'accumulation des transferts, des surcharges, des confusions, des contaminations, des anachronis-

---

1. Italo Siciliano. *Le origini delle canzoni di gesta.* Padoue, 1940.

mes où se complaît la poésie. Labeur immense, mais dont J. Bédier n'a pas eu de peine à montrer combien il était décevant. Dans l'hypothèse de Gaston Paris, il est naturellement inutile, ou mieux impossible de rechercher où a été composé un poème comme *la Chanson de Roland,* pour quel public il a été écrit, par qui et pour quoi il a été composé. La rédaction de la *Chanson* a commencé au lendemain même du massacre de Roncevaux, elle s'est poursuivie jusqu'au moment où est apparue la dernière version rimée au XIIIe siècle. Combien de chanteurs, de trouvères, d'arrangeurs, de remanieurs y ont contribué, il serait vain de le chercher et d'ailleurs superflu, car ce n'est pas un accident si toutes les chansons un peu anciennes sont anonymes. Elles sont anonymes parce qu'elles sont en vérité l'œuvre de tous.

Pour J. Bédier, les chansons de geste, filles de la création poétique, sont nées du désir de distraire et d'édifier un public particulier pour lequel elles ont été écrites par des écrivains de profession. Ce public, c'est celui des pèlerinages qui poussaient les foules sur les routes et les groupaient à certaines dates autour des grands sanctuaires de France et de la Chrétienté. Si les chansons de geste évoquent parfois un personnage historique, ce n'est pas en raison de son rôle passé, mais à cause des liens qui rattachent son nom ou son souvenir à telle église, à tel monastère. La légende s'est formée autour des sanctuaires. Les clercs l'ont transmise aux poètes qui en ont fait une légende épique. Les chansons de geste sont donc des œuvres relativement tardives, des œuvres d'art au sens propre de l'expression, composées dans des circonstances précises avec un dessein bien défini. Leur anonymat n'est dû qu'à leur ancienneté relative et à l'insuffisance de nos documents. Un hasard heureux, une patiente recherche feront peut-être un jour retrouver les hommes derrière les auteurs.

Les travaux de J. Bédier — il est devenu banal de l'affirmer — ont fait faire un pas immense et décisif à l'étude des origines de notre littérature épique. Aussi la présente étude n'a-t-elle pas été entreprise pour confronter une fois de plus et départager les deux conceptions qui viennent d'être rapidement évoquées. Je tiens toute la partie critique de l'œuvre de J. Bédier, sauf retouches de détail, pour définitive; et les efforts tentés récemment par M. Fawtier ou M. Ferdinand Lot pour réhabiliter au moins partiellement quelques-unes des idées de Gaston Paris et de son école me paraissent, à vrai dire, plus ingénieux que probants. Je pense aussi très fermement, après J. Bédier, que les méthodes de l'histoire littéraire à appliquer à l'étude des chansons de geste ne sont pas essentiellement différentes de celles qui ont fait leurs preuves dans l'étude des siècles plus récents, plus accessibles aux chercheurs et mieux connus.

Je me demande seulement si les méthodes mêmes de l'histoire littéraire ne devraient pas être assouplies, plus exactement si le champ de vision et de recherches de l'histoire littéraire ne devrait pas être élargi. En lisant l'œuvre magistrale de J. Bédier, on échappe difficilement à l'impression que si nombreux, si varié qu'ait pu être le public des pèlerinages, il explique mal à lui seul la complexité, la multiplicité des inspirations qui soufflent à travers la forêt touffue, et qui est loin encore d'être complètement explorée, de nos chansons de geste. Une cause unique ne produit pas des effets si divers. Il y avait d'autres publics au XIe et au XIIe siècle que celui des pèlerinages ; il y avait d'autres intérêts matériels et moraux, et plus puissants que ceux des sanctuaires qui jalonnaient les routes de Rome ou de Saint-Jacques, et capables d'inspirer eux aussi les poètes.

Je suis donc parti d'une idée assez différente de celle qui a guidé jusqu'ici la plupart des chercheurs dans le domaine de la littérature, de l'idée que l'histoire littéraire est inséparable de l'histoire proprement dite, histoire politique, histoire religieuse, histoire de la pensée, histoire sociale et même histoire économique. A dire vrai, jusqu'ici, les historiens littéraires se sont montrés à l'égard de cette conception généralement sceptiques. Avant tout analystes et commentateurs de textes, naturellement enclins à penser — et ils ont raison — que le plus intéressant d'une œuvre c'est l'œuvre même, avant les circonstances de sa naissance, ils ont hésité à détacher d'elle leurs regards et à se hasarder sur un terrain, celui de l'histoire qui — il faut bien aussi le dire — ne leur était pas toujours très familier. Les considérations auxquelles ils attachaient naturellement le plus de prix étaient les considérations de style, de composition, de structure. « Les raisons de cet ordre, écrivait par exemple Maurice Croiset dans l'*Histoire de la Littérature grecque* à propos des *Suppliantes* d'Eschyle, sont infiniment plus probantes quand elles sont précises, que de prétendues allusions historiques extrêmement douteuses. »

Et sans doute la recherche des allusions historiques dans les œuvres littéraires du passé est une aventure pleine d'embûches et de périls. Le pionnier progresse à tâtons sur la terre des hypothèses. Il risque à chaque pas de choir, victime de son imagination ou du simple désir de la découverte. Mais outre qu'il n'est parfois pas d'autre méthode, celle-ci est après tout parfaitement rationnelle et justifiée.

Certes, toute grande création littéraire échappe dans une large mesure à son temps, dépasse la société qui l'a vue naître. Ni le milieu, ni le moment ne suffisent à expliquer tout le poète, tout l'écrivain. La définition d'un auteur ne sera jamais épuisée par l'analyse, si précise, si exhaustive qu'on la suppose, de l'époque où il a vécu. Tout cela est vrai. Néanmoins, cette époque s'inscrit invinciblement dans son œuvre; elle en a fourni la matière sinon l'âme; elle a été l'aliment de l'inspiration. Les grands événements que l'écrivain a traversés, les hommes qu'il a connus, qui l'ont attiré ou heurté, leurs préoccupations, leurs idées, leurs passions ont été l'occasion ou le prétexte de ses réflexions, le stimulant de ses pensées. Rappelons ici cette affirmation de Gœthe dans ses conversations avec Eckermann : « Toutes les poésies doivent être des poésies de circonstance, c'est-à-dire que la réalité doit en avoir donné l'occasion et fourni le motif. »

On doit donc retrouver dans une œuvre littéraire, surtout si cette œuvre, comme c'est le cas des chansons de geste, s'adresse à un large public, le reflet des événements, des idées, des passions, des goûts de l'époque où elle fut rédigée. Lorsque l'auteur est connu, quand la date est certaine, cette recherche peut paraître le plus souvent superflue ou tout au moins secondaire. C'est une erreur. Bien des œuvres, j'en suis sûr, s'éclaireraient d'un jour nouveau si on prenait la peine de les rattacher aux événements qui ont été la cause directe ou indirecte de leur apparition.

Considérons, par exemple, une œuvre que l'on regarde généralement comme parfaitement connue, celle de Corneille et choisissons dans cette œuvre la pièce qui a été peut-être le plus commentée, *Horace*. La remarque, je pense, n'a jamais été faite et cependant aucun poème dans notre littérature ne fut peut-être à son apparition d'une aussi brûlante actualité que cette tragédie pseudo-romaine. Le drame y naît de la rivalité de deux cités voisines dont les champions sont unis par les liens de la parenté la plus étroite. Horace a épousé Sabine, sœur de Curiace, Curiace est l' « amant » de Camille, sœur d'Horace. Or, cette situation en apparence exceptionnelle, née pour une bonne part de l'imagination de Corneille, puisque Tite-Live ne parle que des liens qui unissaient Curiace à Camille, est très précisément celle dans laquelle se trouvaient les familles régnantes de France et d'Espagne au moment où, en 1635, éclata la guerre entre les deux pays. Philippe IV était l'époux d'Elisabeth de France, sœur de Louis XIII; Louis XIII était l'époux d'Anne d'Autriche, sœur de Philippe IV. La romaine Camille évoque invinciblement l'image d'Elisabeth de France, passionnée, énergique, ardente en son animosité guerrière contre son ancienne patrie, tandis que la dolente Sabine fait penser à Anne d'Autriche sentimentale, digne et effacée. Le thème dramatique traité par Corneille, c'est celui-là même que les événements portaient sur la scène de l'histoire et déroulaient sous les yeux des Français. Le problème moral qu'il analyse : famille et patrie, c'est celui que tous à la cour et à la ville se posaient en songeant à la guerre, à leur reine et à leur roi. Et si nous ignorions la date d'*Horace,* un historien avisé pourrait conclure, en toute certitude, qu'*Horace* a été conçu et écrit entre 1635 et 1643, entre le commencement de la guerre et la mort du roi.

Et le cas d'*Horace* n'est pas unique. On pourrait l'étayer par d'autres exemples : celui de *Nicomède* notamment. La pièce est toute bruissante des rumeurs de la Fronde. Elle est nourrie d'allusions aux événements de ses premières années. Le roi Prusias y est dominé par sa seconde femme Arsinoé, tout comme la reine régente paraissait aux Parisiens envoûtée par le favori Mazarin; et Nicomède, rayonnant de gloire et paré de jeunesse, y occupe à la perfection la place que le Grand Condé, le vainqueur de Rocroi et de Lens, tint dans l'Etat de 1648 à 1651. Lorsqu'il entendait Nicomède déclamer :

> Par mon dernier combat, je voyais réunie
> La Cappadoce entière avec la Bithynie.
> ....
> J'ai laissé mon armée aux mains de Théagène
> Pour voler en ces lieux, au secours de ma reine.

Comment le spectateur n'eût-il pas songé à la victoire de Lens et au soutien décisif apporté au jeune roi par M. le Prince contre la première Fronde parlementaire, aussitôt après la victoire, à la fin de 1648 et au début de 1649[1]? Les péripéties de la pièce, avec toutes les transpositions

---

[1]. La reine dont parle Nicomède est la jeune Laodice et non la vieille reine de Bithynie.

nécessaires pour éviter le scandale, se déroulent parallèlement aux événements de l'histoire :

> Quiconque entre au Palais porte sa tête au Roi.
> Je vous le dis encor, retournez à l'armée !

supplie Laodice. Et Nicomède de répliquer :

> Retourner à l'armée ! Ah ! Sachez que la Reine
> La sème d'assassins achetés par sa haine.
> Deux s'y sont découverts que j'amène avec moi.

De fait, après sa victoire sur le Parlement, Condé, en 1649, n'est pas retourné à l'armée ; il est resté à Paris, s'y rendant au reste parfaitement insupportable à la cour par son arrogance et ses exigences. A la fin de l'année il est l'objet d'une tentative d'assassinat machinée par Mazarin, attribuée d'abord à Gondi et où l'on voit intervenir des spadassins payés qui se rétractent et se contredisent comme dans la tragédie. Il est arrêté en janvier 1650, comme Nicomède après le IIIe acte et libéré un an après, à la suite de l'émeute populaire, comme Nicomède au Ve acte. Corneille a seulement concentré en vingt-quatre heures les péripéties de trente mois.

L'exemple de Corneille est éclatant et nous pourrions invoquer d'autres pièces de lui, par exemple *Tite et Bérénice* où l'on retrouve sans peine, avec les légères déformations que la prudence imposait, non l'aventure du jeune roi avec Marie Mancini, mais, sous les masques de Tite, de Domitie, de Domitian et de Bérénice celle de Louis XIV épris de la femme de son frère et détourné de son amour par l'intervention de La Vallière. Et ce qui est évident pour Corneille, n'est-il pas vrai aussi pour Lamartine, pour Chateaubriand, pour Hugo, pour Rabelais, pour Virgile, pour Eschyle et tant d'autres qu'on pourrait énumérer?

*
* *

On voit quel concours, même pour les siècles les mieux connus, l'histoire générale peut apporter à l'histoire littéraire. La méthode en tout cas s'impose à l'égard des écrits anonymes, de date indéterminée, ce qui est hélas ! très exactement le cas pour la plupart des chansons de geste. Même quand le nom de leur auteur est connu, ce nom n'est le plus souvent qu'un récipient vide et le poème reste enveloppé de mystère. Le seul moyen dès lors pour essayer de pénétrer ce mystère est de confronter l'œuvre qu'on étudie avec l'histoire des siècles où elle a pu être écrite, avec les autres textes que ces siècles nous ont légués, de procéder à cette confrontation sans préjugé, sans parti pris, sans idée préconçue, d'accepter a priori tous les rapprochements, de n'exclure par avance aucune hypothèse. Cette tolérance systématique est en cette occurrence la première règle de la critique. Le choix nécessaire et sévère ne doit venir qu'après.

De semblables confrontations ont sans doute

déjà été tentées. M. P. Boissonnade, dans son livre *Du nouveau sur la Chanson de Roland*, paru en 1923 a voulu rattacher la naissance de notre chanson de geste la plus célèbre aux entreprises des croisés français en Espagne au XIe et au XIIe siècle. Sa vaste et remarquable enquête a cependant manqué son but parce qu'elle a été exclusive et étroitement systématique. Bien d'autres événements que la Croisade d'Espagne, on le verra, sont intervenus dans la genèse de *la Chanson de Roland* et les expéditions françaises au delà des Pyrénées n'y ont même pas joué le rôle le plus important. Même défaut dans l'entreprise que vient de tenter M. Henri Grégoire, l'éminent spécialiste belge de l'épopée byzantine et qui va précisément servir de point de départ à cette étude. Ces efforts cependant n'ont pas été inutiles. Leurs auteurs en tout cas montraient la voie, celle dans laquelle nous allons nous engager en essayant de l'élargir.

Cette enquête ne se présente pas comme un travail d'érudition. Elle n'a la prétention d'être ni un inventaire ni un répertoire. C'est une contribution de bonne foi : elle ne comporte ni bibliographie ni appareil critique : ceux-ci ont été prodigués dans les savants ouvrages qui l'ont précédée. Cependant, pour faciliter son intelligence aux lecteurs qui ne sont pas des spécialistes, je crois utile d'énumérer brièvement la liste des « versions » que nous possédons de *la Chanson de Roland*.

1° La version assonancée du manuscrit d'Oxford (O) nous a été conservée par le manuscrit 1624 de la bibliothèque Bodléienne. C'est la version française la plus ancienne qui nous soit parvenue. C'est le texte de cette version que l'on appelle communément *la Chanson de Roland*.

2° La version assonancée de Venise (V^4) conservée dans le manuscrit IV du fonds français de la Bibliothèque Saint-Marc à Venise, est écrite en « franco-italien », langage hybride qui a servi à la rédaction de nombre de chansons de geste. Elle suit un texte assez voisin de celui d'Oxford jusqu'au moment où Charlemagne quitte l'Espagne après la prise de Sarragosse. La fin se rapproche beaucoup de celle de la version rimée.

3° La version rimée nous est connue par deux groupes de manuscrits correspondant à deux rédactions parallèles. Le premier groupe comprend le manuscrit de la Bibliothèque de Châteauroux (C) et le manuscrit VII du fonds français de la Bibliothèque Saint-Marc à Venise (V^7). Le second groupe comprend le manuscrit du fonds français de la Bibliothèque nationale (P), le manuscrit 984 de la Bibliothèque de la ville de Lyon (L), un manuscrit de la Bibliothèque de Trinity College à Cambridge (T).

4° Le *Ruolandes liet* (K) écrit par le prêtre Konrad, d'après une version voisine de celle d'Oxford. C'est le *Roland* allemand.

5° La version noroise (*n*). Le roi de Norvège,

Haakon V (1217-1263) fit, vers 1240, rédiger une vaste compilation groupant et combinant la traduction d'un certain nombre de chansons de geste relatives à Charlemagne, la *Karlamagnussaga*. Au huitième chapitre se trouve un récit de la bataille de Roncevaux, rédigé d'après un poème français dont le texte se confondait souvent avec le texte d'Oxford.

Signalons pour mémoire une version galloise (*g*) insérée dans un roman en prose galloise du xiv⁰ siècle, les fragments d'un poème anglais (*e*) et de versions néerlandaises en vers (*h*)[1].

Un écrit enfin mérite une mention spéciale, c'est un poème latin de 482 vers formant 241 distiques, le *Carmen de prodicione Guenonis* (*c*). Ce curieux ouvrage écrit en un latin prétentieux et parfois énigmatique a été certainement composé d'après un poème français dont l'ordonnance ressemblait fort à celle de notre *Chanson de Roland*. Il ignore toutefois, — et c'est là son trait le plus remarquable — et l'épisode de Blancandrin au début et celui de Baligant à la fin.

---

[1]. On trouvera une excellente description de ces différentes versions soit dans le volume de *Commentaires à la Chanson de Roland* de J. Bédier, H. Piazza, éditeurs ; soit dans l'étude de M. Edmond Faral : *la Chanson de Roland*, Mellottée, éditeur, 1934.

I

LES *ESCHELES* DE BALIGANT ET LA GUERRE D'ÉPIRE

Il y a quelque vingt ans, M. P. Boissonnade, pour retrouver et définir la signification de *la Chanson de Roland,* sa place dans notre histoire, non seulement dans l'histoire littéraire, mais dans l'histoire nationale, adoptait la méthode des identifications. Dans son ouvrage *Du nouveau sur la Chanson de Roland,* il relevait scrupuleusement tous les noms de pays, de lieux, de villes, de peuples, de personnages qui figurent à un titre quelconque dans la *Chanson*. Il recherchait ensuite minutieusement quels pouvaient être ces pays, ces lieux, ces villes, ces peuples, ces personnages, et, de ce consciencieux inventaire, il tirait la conclusion que *la Chanson de Roland* était fille de la Croisade, croisade d'Orient, croisade d'Espagne et qu'elle ne saurait être ni antérieure à 1120, ni postérieure à 1125. On a été en général sévère pour ce laborieux répertoire d'identifications où l'exact et le plausible se mêlent dangereusement et constamment à l'hypothétique. Le tort de M. P. Boissonnade est évidemment d'avoir voulu tout expliquer en se plaçant à un seul point de vue.

C'est une méthode très voisine qu'a suivie M. Henri Grégoire qui a exposé ses thèses dans deux communications qu'il a faites en 1939 à l'Académie des Inscriptions et dans l'étude parue sous le titre *la Chanson de Roland et Byzance* dans le premier fascicule du tome XIV (1939) de *Byzantion*.

Le sujet traité est celui-là même auquel s'était appliqué M. P. Boissonnade et qui divise depuis longtemps les romanistes : la date du vieux poème. Avant, pendant ou après la Croisade ? se demandait, voilà environ douze ans, Joseph Bédier dans ses *Commentaires* à *la Chanson de Roland*. Il inclinait, lui, à placer sa composition aux environs de la conquête même de Jérusalem entre 1098 et 1100. Et, après lui, M. Edmond Faral s'est rallié à cette date [1].

M. H. Grégoire croit pouvoir démontrer que le texte de la chanson qui nous est parvenu dans le manuscrit d'Oxford a été rédigé sous le coup des événements qui se sont déroulés en Epire de 1081 à 1085 au moment de l'expédition de Robert Guiscard, duc de Pouille et de son fils Bohémond contre l'empire grec. Très précisément, la version d'Oxford aurait été composée à Salerne au printemps de 1085, à la veille de la mort de Robert. « Ainsi s'explique, ajoute M. H. Grégoire, à la

---

1. E. FARAL. *La Chanson de Roland*, Paris, 1934.

fois qu'elle ne contienne aucune allusion aux grands faits d'armes de 1096 à 1099 et que, pourtant, d'un bout à l'autre, elle soit traversée du grand souffle épique qui anima les *Gesta Dei per Francos.* » Ajoutons, pour être complet, que d'après notre auteur, dont je partage l'avis sur ce point, *la Chanson de Roland* ne serait qu'un remaniement d'une chanson plus ancienne, à laquelle aurait été soudé non sans adresse un épisode nouveau, l'épisode de Baligant, qui à partir du vers 2570 remplit, à peu près, un millier de décasyllabes.

C'est dans cette partie de la *Chanson* que M. H. Grégoire a cherché et cru trouver les indices qui l'ont conduit à sa découverte. Il y est raconté, on le sait, comment « l'amiraill de Babilonie », Baligant, débarque avec son immense armée aux abords de Saragosse au lendemain de la mort de Roland et de la défaite de Marsile, comment il défie Charlemagne, est vaincu et tué, et comment enfin le grand empereur s'empare de Saragosse. Un des passages de cet épisode a été tout particulièrement étudié et commenté par les érudits, c'est celui où le poète procède au dénombrement de l'armée de l'émir. M. H. Grégoire a passé à son tour cette revue et il nous en présente les résultats.

Il a réussi, nous dit-il, à identifier certains des contingents, quelques-unes des « eschèles » qui composent l'armée de Baligant. Selon lui, ces contingents représenteraient, en premier lieu, des populations de plusieurs cantons de l'Epire attaquée par les Normands de Robert Guiscard; en second lieu, les diverses troupes de mercenaires qui figuraient précisément parmi les forces impériales d'Alexis Comnène qui défendirent l'Epire et Durazzo contre l'invasion, sous le commandement de Georges Paléologue de 1081 à 1085.

M. H. Grégoire n'est pas le premier qui ait proposé d'identifier le Butentrot qui est mentionné en tête de l'énumération des « escheles » de Baligant (« La premere est de cels de Butentrot » v. 3220) et le Buthrotum des Latins, le Butrinto actuel. Mais les érudits ont toujours hésité entre ce Butentrot et le Butentrot des historiens de la Première Croisade qui est le nom d'un défilé alors célèbre qui mène à travers le Taurus des plateaux d'Anatolie dans la plaine de Cilicie. M. H. Grégoire a longtemps fait comme eux. Pourquoi s'est-il enfin décidé pour la ville d'Epire? Parce qu'il a reconnu des Epirotes dans deux autres contingents de l'émir, ceux qui sont composés par « cels de Jéricho » et par les « Canelius les laiz ». Jusqu'ici les commentateurs de la *Chanson* n'avaient pensé qu'à Jéricho de Palestine et aux Chananéens que les textes du moyen âge appellent en effet « Canelius ». Mais M. H. Grégoire fait remarquer qu'il existait en Epire un Jéricho situé au fond de la baie de Valona et, près de ce Jéricho, un Kanina d'où peuvent être originaires les

« Canelius »; ceux-ci sont d'ailleurs appelés « Chanineis » dans le manuscrit de Venise de la version assonancée; dans le texte d'Oxford, ils sont dits en outre venir du Val Fuit; or, justement, il coule non loin de Kanina un petit fleuve, la Vojusa ou Voïussa moderne, parfois mentionnée au moyen âge sous le nom de Vouissa. Ainsi notre auteur découvre trois villes et un fleuve d'Epire qui seraient évoqués dans l'épisode de Baligant. Or, ces trois villes ont précisément été conquises par Bohémond au début de l'expédition d'Epire, au cours de la campagne de 1081.

Coïncidence intéressante, mais peut-être fortuite, objectera-t-on à M. H. Grégoire. Celui-ci réplique : à côté de ces mentions, je trouve, sinon dans le texte d'Oxford, du moins dans l'une des versions rimées, singulièrement dans le manuscrit de Châteauroux, celle « de Baile et de Gloz », et je reconnais sous ces deux vocables le cap Glossa où Bohémond, cette même année 1081, essuya une furieuse tempête et le cap Pali, au nord de Durazzo, où vint aborder la flotte de secours envoyée par les Vénitiens aux Byzantins. Le cap Pali n'est-il pas d'ailleurs à la rigueur reconnaissable dans « Balide la fort » et dans « Baldise la lunge » mentionnées aux vers 3230 et 3255 de la version d'Oxford? On retrouve en tout cas l'Epire d'après M. H. Grégoire, au moins en un autre passage de la *Chanson*. Dans la dernière laisse du poème, saint Gabriel vient, de la part de Dieu, inviter Charlemagne à se rendre « en la tere de Bire » pour se porter au secours du roi Vivien assiégé par les païens dans la ville d'Imphe. Pour notre commentateur, le doute n'est pas possible, la terre de Bire, que certains placent sur les bords de l'Euphrate, c'est la terre d'Epire. « Quant à Imphe ou Nimphe, c'est sans doute ce fameux Nymphaion dont on cherche à présent l'emplacement quelque part entre Avlona et la Vojusa et que nous localiserons au village de Mifoli. Ce doit être à Nymphaion que Bohémond avait organisé son dernier camp retranché dans l'Albanie méridionale. »

Telles sont les fondations sur quoi M. H. Grégoire a bâti sa thèse. Partant de ces prémisses, il a recherché si parmi les peuples qui entourent Baligant ne figurent pas des cités, des nations où l'Empire byzantin recrutait des auxiliaires ou des mercenaires de ses armées. Il en a trouvé en effet, et d'abord les Pinceneis (v. 3240), c'est-à-dire les Petchenègues qu'Anne Comnène dans l'*Alexiade* appelle élégamment les Scythes. A côté d'eux il a reconnu les Sorbres, les Sors, et les Esclavoz, c'est-à-dire les Serbes et les Slavons (v. 3225-26), la « gent Samuel », autrement dit les Bulgares occidentaux de l'ancien royaume de Samuel (v. 3244), au vers 3240, les Pers, (les Seldjoucides venus de Perse) et les Turcs, les Ermines du vers 3227 qui sont les Arméniens, les Astrimonies (v. 3258) qui représentent les gens du

thème du Strymon en Thrace. Quelques-unes de
ces identifications étaient déjà classiques; les
autres sont tout à fait admissibles.

Mais le désir de retrouver dans les « escheles »
de Baligant les contingents de l'armée d'Alexis
Comnène a poussé M. H. Grégoire à quelques
autres hypothèses devant lesquelles il est permis
d'hésiter et même de reculer. Certaines de ces
conjectures sont au reste d'abord séduisantes,
voire amusantes. La seconde « eschele » de Baligant est ainsi décrite dans la *Chanson* :

> 3221 E l'altre après de Micenes as chiefs gros
> Sur les eschines qu'il unt en mi les dos
> Cil sunt seiet ensement cume porc.

Qui sont ces Micenes à grosses têtes, qui, le long
de l'échine, au milieu du dos, portent des soies,
comme les porcs ? Ce sont, nous répond-on, les
Némitzes, un corps d'Allemands désignés tradi-
tionnellement à Byzance d'après leur sobriquet
slave (nemets, c'est-à-dire muet) et qu'Anne Comnène appelle elle-même ainsi. Or, Théophane dit
précisément que les Francs ont des poils le long
du dos comme les porcs. Cette coïncidence a tellement frappé M. H. Grégoire, bien que Théophane,
chroniqueur byzantin, ait écrit quelque trois cents
ans avant l'époque assignée par lui à *la Chanson
de Roland,* œuvre normande, qu'il n'a pas reculé
devant la triple métathèse qui aurait fait des
Némices les Micenes.

Et une fois engagé dans cette voie, il multiplie les découvertes. Le vers 3224 lui présente les Nubles ; résolument il corrige en Publes et aussitôt reconnaît les Pauliciens, les *Publicani* des chroniqueurs des xie et xiie siècles, qui sont des Manichéens dont une fraction venue d'Asie mineure avait été transférée en Thrace au viiie siècle et fournissait des soldats à l'armée impériale. Dans les Blos, il ne balance pas à déceler les Valaques « qu'un siècle plus tard, Villehardouin appellera Blas »[1]. L'o en place de l'a serait dû à l'assonance[2], tout comme dans la forme Gros au vers 3229 où M. H. Grégoire veut retrouver les Grieus, c'est-à-dire les Grecs eux-mêmes. Poursuivant ses corrections, il chasse les Bruns du vers 3225, les Nigres du vers 3229 pour les remplacer par les Ros[3] et par les Wangres. Pourquoi ? Parce que dans la version assonancée de Venise on lit Ros, que dans deux manuscrits de la version rimée il est parlé de « cil de Roussie » et que dans le *Ruolandes liet* les Nigres sont devenus les Walgres. Ainsi sont récupérés deux contingents de l'armée byzantine : les Russes et les Varangues. La correction de « Eugiez » en Englez au vers 3243 permet encore de recenser une autre troupe de mercenaires, celle des Anglais

---

1. En fait Villehardouin les appelle généralement Blacs.
2. M. Grégoire parle d'allitération. C'est évidemment un *lapsus calami*.
3. Cette correction a déjà été proposée par G. Paris, Hoffmann et Tavernier.

qui, fuyant la conquête normande, étaient venus demander du service à Alexis Comnène. Enfin dans l'échelle « d'Occian la desert », M. Grégoire retrouve un corps régulier des forces impériales, celui des *Opsequiani* recrutés dans le thème asiatique d'Opsikion. En 1081, il est vrai, ce thème était au pouvoir des Turcs, mais notre auteur rappelle qu'en 1041 une troupe d'*Opsequiani* avait combattu contre les Normands en Italie. « Le poète aurait conservé la mémoire du premier choc entre Normands et Byzantins, antérieur de quarante ans à l'expédition d'Epire. »

Reste le chef de la grande armée païenne : Baligant. Qui æst ce Baligant? M. H. Grégoire répond : Georges Paléologue, le général qui commandait l'armée byzantine à Durazzo. « Le P initial sonnait comme B à l'accusatif précédé de l'article; la réduction syllabique de *liolo* en *li* est toute naturelle, et quant à la finale, les Francs transformaient couramment l'*on* de l'accusatif grec en *an*. » Ainsi Paléologue a donné Baligant. D'ailleurs « la *Chanson* fait de Canabeus le frère de Baligant : Comnène était en effet le beau-frère de Paléologue! » A ces deux noms, il faut en ajouter un troisième, celui de Torleu, « le rei persis » (v. 3204). Ce serait Traulos, le chef révolté des Pauliciens qui, en 1084-85, fait dans les Balkans figure de souverain.

Arrivé à ce sommet de la démonstration, le lecteur, il faut l'avouer, est un peu déconcerté; il mesure le chemin parcouru, et, dans sa surprise, il se pose quelques questions.

La première est celle-ci : comment un poète normand de la fin du xie siècle peut-il avoir conçu l'idée de représenter un général byzantin sous les traits de « l'amiraill de Babilonie » ? Cet « amiraill de Babilonie », toute la chrétienté le connaissait, c'était le calife Fatimide du Caire, qui devait être l'adversaire des croisés au siège de Jérusalem et à la bataille d'Ascalon, celui à qui tous les historiens des Croisades donnent le même titre que *la Chanson de Roland : ammiratus Babiloniae*. Le souverain du Caire était depuis la décadence des califes de Bagdad de beaucoup le plus puissant des chefs de l'Islam. Baligant en effet a, pour son expédition, convoqué les combattants de quarante royaumes et c'est à Alexandrie qu'il a embarqué sa formidable armée. L'identification ne souffre pas le moindre doute. Par quelle miraculeuse métamorphose le général byzantin qui défendait Durazzo a-t-il pu prendre la figure du prince des chefs de l'Islam marchant au secours de Saragosse ?

Ce n'est pas tout. Le poète, nous dit-on, a voulu chanter les exploits des Normands et de leurs chefs Robert et Bohémond contre l'armée de Paléologue-Baligant. Alors pourquoi les « Normans » ne forment-ils dans l'armée de Charlemagne qu'une « eschele » relativement modeste, la sixième ? Pourquoi surtout leur chef (3470), « Richard le veill, li sire des Normans », ne paraît-il dans la bataille que pour tomber sous les coups de l'amiral ?

Autre question : Paléologue-Baligant nous est donné comme le grand chef de la païennerie. Sans doute l'armée byzantine a compté des contingents païens, comme d'ailleurs les troupes des chefs normands d'Italie et de Sicile. Mais est-ce suffisant pour justifier aux yeux de la chrétienté du XIe siècle une calomnie aussi grossièrement évidente à l'endroit de Byzance ? On dira que Rome avait rompu avec l'Eglise d'Orient depuis 1054. Mais cette rupture, que personne à l'époque ne considérait comme définitive, n'avait pas empêché Grégoire VII, en 1074, d'inviter tous les fidèles à se porter au secours de Constantinople assaillie par les barbares. D'autre part, Robert Guiscard lui-même n'avait-il pas cette même année accepté la proposition de l'empereur Michel VII qui lui demandait la main d'une de ses filles pour son fils Constantin ? Cette fille n'était-elle pas entrée au gynécée impérial sous le nom d'Hélène ? Bien mieux, n'était-ce pas au nom de Michel VII détrôné par Botaniatès, renversé à son tour par Alexis Comnène que Robert Guiscard avait entrepris la campagne d'Epire ?

En vérité, quand on confronte avec les événements historiques qu'elle prétend illustrer la thèse de M. H. Grégoire, on se heurte d'abord à bien des invraisemblances. On peut lui faire d'autres objections.

M. H. Grégoire lui-même, je pense, serait le premier à admettre que certaines des identifications qu'il propose sont au moins contestables. Ce sont celles qui reposent sur des corrections au texte d'Oxford, et qui sont par définition hypothétiques. Il est impossible de démontrer que les Nubles sont les Publes, c'est-à-dire les *Publicani*, les Pauliciens, que les Bruns sont les Ros, autrement dit les Russes, que les Blos sont les Blas, les Valaques, et que les Gros enfin représentent les Grecs. J'ajouterai qu'il est peu vraisemblable que les Nigres doivent céder la place aux Walgres, aux Varangues et qu'il est plus naturel de voir en cette appellation la simple transposition du mot latin pour désigner les Noirs, les « neirs » qui figurent communément dans les armées païennes de nos chansons de geste [1]. Il faut reconnaître enfin que le passage du thème d'Opsikion à l' « eschele » d'Occian ne va pas sans difficulté. M. H. Grégoire d'ailleurs n'a pas présenté ces assimilations et ces corections comme des arguments décisifs, mais comme des étais à une théorie qu'il considérait déjà comme solidement établie.

Il semble cependant accorder une valeur spéciale et même probante à deux identifications qui résultent elles aussi de corrections du texte : celle

---

[1]. Nous verrons plus loin que cette partie de *la Chanson de Roland* a précisément été composée d'après une source latine.

qui fait des « Micenes » les Némices de la garde impériale et celle qui transforme les « Eugiez » en Englez, en Anglais. L'une et l'autre cependant sont assez difficiles à admettre. M. H. Grégoire fait grand état du texte de Théophane traduit par Anastase le Bibliothécaire qui prête aux Francs, donc aux Germains, donc aux Némitzes la difformité que le texte du *Roland* attribue aux « Micenes » de Baligant. Mais trois siècles séparent le chroniqueur byzantin de l'auteur de notre *Chanson*, ce qui exclut toute tradition verbale. Le poète normand a pu, il est vrai, connaître la traduction latine d'Anastase. Mais, en ce cas, il a fallu que, lui, Franc, voulût admettre l'identité des Francs avec les Allemands, avec les Némitzes de Byzance : concession bien invraisemblable. M. H. Grégoire avait été, semble-t-il, mieux inspiré lorsqu'il avait d'abord cherché à rapprocher les « Micenes » des Turcs de Nicée, des *Niceni*. Lui qui se réfère volontiers aux versions autres que celles d'Oxford, il aurait trouvé à son hypothèse des appuis solides dans le texte assonancé de Venise où on lit « Nices », ainsi que dans le manuscrit rimé de Venise et dans celui de Châteauroux qui écrivent « de mont Nigre les Torz », c'est-à-dire les Turcs des *Montes Nigri*, de la Montagne Noire située au sud-est de Nicée et que traversèrent les croisés après leur victoire de Dorylée.

Quant à la correction au vers 3343 de « Eugiez » en Englez (Anglais), elle paraît encore moins admissible. Rien vraiment ne la justifie[1].

Faut-il au moins accorder plus de valeur à celle qui fait de la terre de Bire la terre d'Ebire, d'Epire ? Je ne le crois pas, pour deux raisons. La première, c'est qu'on ne voit pas comment la situation dépeinte dans les derniers vers de la *Chanson* pourrait s'appliquer à l'expédition de 1081-1085. Saint Gabriel, on se souvient, vient tenir à Charlemagne le discours suivant :

> Carles, sumun les oz de tun emperie !
> Par force iras en la tere de Bire,
> Reis Vivien si succuras en Imphe,
> A la citet que paien unt asise :
> Li chrestien te recleiment et crient[2].

Or, jamais « ce fameux Nymphaion » épirote où M.-H. Grégoire veut retrouver l'Imphe du poète ne se trouve mentionné dans aucun récit de la campagne de Robert Guiscard et de Bohémond. Jamais les « chrétiens » de l'armée normande n'y ont été assiégés par les « païens » de Byzance. M. H. Grégoire suppose, il est vrai, que Bohémond y avait organisé son dernier camp retranché. Aucun fait, aucun argument n'étaie cette hypothèse.

---

[1]. Il n'est pas sans intérêt de noter que le manuscrit de Châteauroux et la version rimée de Venise donnent Rohais à la place d'Eugiez. Rohais est le nom franc de la ville d'Edesse.

[2]. Charles, convoque les osts de ton empire !
En hâte, pars pour la Terre de Bire,
Tu secourras le roi Vivien en Imphe
Dans la cité que les païens assiègent :
Les chrétiens t'appellent et réclament.

Deuxième raison : il est clair, à la seule lecture, que la dernière laisse de *la Chanson de Roland* ne représente nullement la conclusion de notre épopée qui est terminée à la laisse précédente, mais une transition vers un autre récit, comme si le remanieur ou le copiste à qui nous devons le texte d'Oxford avait tenu à marquer le lien qui unissait son œuvre ou sa copie aux autres épisodes de la légende du grand empereur. Et ce n'est pas là une impression, une hypothèse, car nous connaissons la suite du récit. On possède sous le nom de *Keiser Karl Magnus's Kronike* un abrégé danois du xve siècle de la *Karlamagnussaga*, compilation noroise du xiiie siècle, dont la huitième « branche » correspond à notre *Chanson* La *Kronike* puisait d'ailleurs à d'autres sources, car la version noroise ne connaît notamment ni l'épisode de la belle Aude ni rien qui corresponde à la dernière laisse de *la Chanson de Roland.* La *Kronike*, après avoir mentionné la mort d'Aude, continue ainsi : « La nuit suivante, l'ange Gabriel vint à l'Empereur et dit : « va-t'en au pays de « Libia et aide le bon roi Iven ; car les païens « combattent rudement contre son pays. » Dans la semaine de Pâques, l'Empereur rassembla une grande armée à Rome et s'en alla vers le roi Iven. Le roi païen qui combattait contre lui s'appelait Gealver. Quant il apprit l'arrivée de l'Empereur, il marcha contre lui et combattit, et beaucoup d'hommes tombèrent des deux côtés. Olger le

Danois frappa sur le casque du roi païen et le pourfendit jusqu'à la selle. Et l'Empereur gagna une grande victoire en ce jour, et délivra le pays du roi Iven. » [1].

Ces quelques lignes représentent, sans aucun doute, le sommaire ou le canevas d'un récit épique ou légendaire dont les derniers vers de *la Chanson de Roland* esquissent la première scène. Elles ne permettent pas, hélas, de dire avec plus de précision ni où est cette terre de Bire qui dans la *Kronike* est devenue le pays de Libia, ni qui est ce roi Vivien transformé en roi Iven. Seule l'identité du roi païen du texte danois est assez aisée à retrouver sous son masque nordique. Le roi païen Gealver, c'était, selon toute vraisemblance, le roi Galafre. Mais où régnait ce roi Galafre? Faut-il l'identifier avec le roi Galafre que l'on voit dans *le Couronnement de Louis* débarquer en Italie, s'emparer de Capoue, menacer Rome et être finalement vaincu par Guillaume d'Orange? ou avec « li amiralz Galafes » mentionné en passant au vers 1664 de *la Chanson de Roland?* ou enfin avec le *rex Galapiae* des historiens des croisades, c'est-à-dire avec l'émir d'Alep? La seule chose qui soit sûre, dans tous les cas, c'est qu'il n'y eut jamais de roi Galafre ni en Illyrie, ni en Épire et que le prince païen ennemi du roi Vivien ou Iven n'a rien à voir ni avec Alexis Comnène, ni

---

1. Léon GAUTIER. *La Chanson de Roland*, 1872, II, p. 263.

avec Georges Paléologue, adversaires de Robert Guiscard et de Bohémond en 1085.

Voilà donc tout un lot d'identifications que, en bonne méthode, il convient d'écarter. Mais cette sélection une fois faite, il reste un certain nombre de noms, d'assimilations sur lesquels l'accord est possible, s'il n'est déjà fait. Je les rappelle : il s'agit des Petchénègues, des Serbes, des Slavons, des Bulgares de l'ancien royaume de Samuel, des Thraces du Strymon, des Turcs, des Arméniens. Hélas ! La présence d'aucun de ces noms dans *la Chanson de Roland* ne peut servir à départager ceux qui la jugent antérieure et ceux qui la croient postérieure à la première Croisade. Si ces peuples, en effet, ont figuré ou pu figurer dans les rangs des armées d'Alexis Comnène, ils se sont tous aussi trouvés sur la route des croisés. Les Bulgares et les Petchénègues accablèrent les troupes de Pierre l'Ermite. L'armée de Raymond de Saint-Gilles, comte de Toulouse, se heurta en Dalmatie aux Serbes et aux Slavons. Les croisés d'Italie conduits par Bohémond durent bousculer sur le Vardar les Petchénègues et les Thraces. Tous enfin eurent à combattre en Asie les Turcs et aussi les Arméniens, qui figuraient d'ailleurs dans les deux camps.

Restent les mentions de Butentrot, de Jéricho et de Canelius. Permettent-elles au moins de trancher le débat ? Pas davantage. La question de Butentrot a été si souvent et si complètement débattue, notament par J. Bédier [1], qu'il est vraiment superflu de la traiter à nouveau : aucun argument décisif ne justifie un choix entre la ville d'Epire et le défilé de Cilicie. Il est également impossible de se décider entre la Jéricho d'Epire (plus exactement Hiéricho) et la Jéricho de Palestine. Restent les Canelius; c'est le nom employé couramment au XIIe siècle pour désigner les Chananéens et ceux-ci ne sont autres que les Sarrasins. J. Bédier suppose [2], non sans vraisemblance que ce terme biblique a été mis à la mode par les prédicateurs de la guerre sainte et il s'en sert pour montrer que la *Chanson* doit être postérieure à la croisade. Quoi qu'il en soit, il est fort peu croyable que l'appellation de Canelius se soit jamais appliquée aux gens de Kanina.

En résumé, aucune des identifications admissibles, probables ou certaines proposées par M. H. Grégoire n'exclut l'idée que *la Chanson de Roland* a pu être écrite après l'expédition de Jérusalem.

Et ce ne sont pas là les seules objections qu'on puisse faire à M. H. Grégoire. La principale, peut-être, c'est que sa revue de l'armée de Baligant n'est pas complète. Sauf erreur, l'inventaire des peuples, des chefs et des territoires païens mentionnés dans l'épisode de Baligant comporte

---
1. *La Chanson de Roland, Commentaires*, p. 44.
2. *Ibid.*, p. 51.

soixante noms. M. H. Grégoire n'en a guère étudié ou cité que la moitié. Or, dans la moitié inexplorée, je relève tout de suite quelques noms dont la lecture ne présente aucune difficulté : Alixandre (Alexandrie) d'où part la flotte de Baligant, Babilonie (Le Caire), les Hungres (les Hongrois), les Hums, c'est-à-dire les Huns, autre dénomination des Hongrois, les Avers ou Avares, troisième appellation des mêmes Hongrois, d'allure plus érudite, les Sulians (les Syriens), deux noms enfin dont l'interprétation peut être considérée comme certaine : Oluferne (v. 3297) qui est en quelque sorte le pseudonyme épique de la ville d'Alep dans plusieurs chansons de geste, notamment dans *la Chanson d'Antioche*, et Maruse (v. 3257) où nous retrouvons la Marusis, Marasis des historiens des croisades, c'est-à-dire Marasch.

A la lecture de cette liste, une remarque s'impose. *Aucun* de ces peuples, *aucune* de ces cités n'eût rien à voir avec l'entreprise des Normands en Épire, environ les années 1080; *tous* au contraire sont étroitement mêlés à l'histoire de la première Croisade. Et même les représentants de l'un d'entre eux, les Syriens, les Sulians, jouent dans *la Chanson de Roland* (v. 3131) très exactement le rôle d'espions que leur attribuent généralement les récits de l'expédition de Jérusalem [1]

---

1. Cf. BOISSONNADE, *op. cit.*, p. 204 et BÉDIER, *Commentaires*, p. 52.

Ainsi, un rapide coup d'œil jeté sur les troupes de « l'amiraill de Babilonie » paraît exclure leur identité avec les corps de l'armée d'Alexis Comnène. Il invite au contraire à confronter les histoires de la première Croisade et l'épisode de Baligant.

Or, j'ai la conviction que ces histoires ont été pour notre poète une véritable source, au sens précis où les historiens emploient ce mot. Autrement dit il y a puisé certains éléments de son récit, faciles à reconnaître et à identifier.

II

LA CHANSON DE ROLAND ET LES HISTORIENS DES CROISADES

L'auteur de la version d'Oxford mentionne à plusieurs reprises un document, vrai ou supposé, auquel il aurait fait des emprunts et dont il invoque l'autorité. Cet écrit, il le nomme « la geste », « l'ancienne geste » et en deux passages, au vers 1443 et au vers 3262, la « Geste Francor ». Cette dernière appellation mérite de nous arrêter. Son sens ne peut prêter à aucune discussion. Elle n'est que la transposition française de l'expression latine *Gesta Francorum* et le pluriel latin est encore tellement présent à l'esprit du poète que, au vers 3262, il fait de « Geste Francor » le sujet d'un verbe au pluriel :

Geste Francor XXX escheles i numbrent.

En d'autres termes, notre auteur se réfère ou feint de se référer à un ouvrage d'allure historique intitulé *Gesta Francorum, Geste Francor*. Or, si nous nous reportons au répertoire classique d'Auguste Molinier [1], nous constatons ce fait bien remarquable : avant la fin du XIe siècle, aucun texte historique connu n'a porté ce titre. Celui-ci n'est apparu dans la littérature historique qu'avec les croisades. Son inventeur est le chevalier anonyme qui suivit Bohémond et les Italo-Normands jusqu'à Antioche, s'attacha ensuite au comte de Toulouse et acheva vers la fin de 1099 le journal de route de la Croisade qu'il intitula *Gesta Francorum et aliorum Hierosolymitanorum*. Le livre eut, semble-t-il, un immense succès. Et Foucher de Chartres reprit son titre, sans vergogne, quand il entreprit quelques années plus tard, vers 1105, d'écrire à son tour les *Gesta Francorum Jerusalem expugnantium*.

L'auteur de l'épisode de Baligant, le remanieur à qui nous devons le texte d'Oxford, avait-il sous les yeux un texte pseudo-historique destiné à célébrer les revers et les exploits legendaires de Charlemagne et de ses preux, premiers croisés de la guerre d'Espagne, et notamment la prise de Saragosse? Ce texte s'appelait-il *Gesta Francorum Caesaraugustam expugnantium* ou quelque chose d'approchant? C'est possible, je dirai même tout de suite que c'est hautement vraisemblable. Mais ce qui est certain, c'est que cet écrit n'a pu être rédigé ou imaginé qu'après le succès des *Gesta*

---

[1]. *Les Sources de l'Histoire de France des Origines aux guerres d'Italie.*

Francorum du chevalier anonyme, après la publication des *Gesta Francorum* de Foucher de Chartres.

Bien mieux : je crois qu'il est possible de démontrer que notre poète a utilisé, donc connu, soit directement, soit indirectement, c'est-à-dire à travers l'imitation de la *Geste Francor* les *Gesta Francorum* qui racontaient les souffrances et les hauts faits des premiers croisés d'Orient.

Le 12 août 1099, quatre semaines exactement après la prise de Jérusalem, l'armée croisée culbuta près d'Ascalon l'armée que *l'ammiratus Babiloniae*, l'amiral de Babylone, c'est-à-dire le calife Fatimide du Caire, avait envoyée en Palestine pour reprendre Jérusalem. L'auteur anonyme des *Gesta Francorum* raconte [1] comment, au cours du combat, Robert Courteheuse, duc de Normandie, tua le porteur de l'étendard de l'amiral : « *Incomparabilis itaque miles, scilicet domnus Rotbertus, comes Nortmanniae cernens Admiralii standarum habentem quoddam pomum aureum in summitate hastae, quae erat cooperta argento, vehementer ruit super illum qui hunc ferebat, quem viriliter prosternens vulneravit usque ad mortem.* » [2]. Il nous dit ensuite comment l'éten-

---

[1]. *Hist. occ.*, III, p. 162.
[2]. « Chevalier incomparable, sire Robert, comte de Normandie, voit l'étendard de l'amiral, orné d'une pomme d'or au sommet de la hampe couverte elle-même d'argent. Il charge vigoureusement celui qui le portait, le renverse vaillamment et le blesse mortellement. »

dard fut jeté à terre et racheté à ceux qui l'avaient ramassé par Robert qui l'offrit finalement au patriarche de Jérusalem.

Lisons maintenant l'épisode de la bataille entre Charlemagne et Baligant, au cours duquel Ogier le Danois tue Ambure d'Oluferne, porteur de l'enseigne de « l'amiraill » :

> 3546 Mult par est proz danz Ogers li Daneis :
> Puint le ceval, laisset curre ad espleit,
> Si vait ferir celui ki le dragun teneit,
> Qu'ambure cravente en la place devant sei
> E le dragon et l'enseigne le rei.
> Baligant veit sun gunfanun cadeir
> E l'estandard Mahumet remaneir [1].

Le parallélisme entre les deux épisodes est éclatant. J'ajouterai que l'imitation est, à mes yeux, hors de doute : « mult par est proz » s'écrie le poète de la *Chanson; incomparabilis itaque miles*, lisons-nous dans les *Gesta*, qui continuent, *scilicet domnus Rotbertus, comes Nortmanniae*, à quoi fait écho très exactement « danz Ogers li Daneis ». Et ces quatre derniers mots achèvent la preuve que le poète avait sous les yeux soit le récit des *Gesta*, soit un texte qui le copiait servilement. En effet,

---

1.   Plein de vaillance, sire Ogier le Danois
     Pique et laisse courir son cheval librement,
     Il va frapper celui qui portait le dragon,
     Renversant à la fois sur place devant soi
     Et le dragon et l'enseigne du roi.
     Baligant voit tomber son gonfanon
     Et l'étendard de Mahomet à terre.

le nom d'Ogier est cité en huit endroits de la *Chanson;* en ce seul passage, il est précédé du titre « danz », seigneur, *dominus,* qu'on ne trouve d'ailleurs que trois fois dans tout le poème : *domnus Rotbertus* a évidemment engendré « danz Ogers ».

J. Bédier a déjà noté [1] que le tableau des troupes chrétiennes sortant d'Antioche pour présenter la bataille à Kerbogha évoque le dénombrement des « escheles » de Charlemagne. L'impression est juste, mais ce n'est qu'une impression. J'estime qu'on peut aller plus loin. Je crois que la liste des « escheles » de Charlemagne a été empruntée aux *Gesta Francorum* de Foucher de Chartres par l'auteur de l'épisode de Baligant ou, si l'on préfère, par celui de la *Geste Francor.* Foucher de Chartres donne la liste suivante des contingents de l'armée croisée [2] : *Franci, Flandri, Frisi, Galli (Britoni)* [3], *Allobroges* [4], *Lotharingi, Alemanni, Baioarii, Normanni, Angli, Scothi, Aquitani, Itali, Daci, Apuli, Iberi, Britones, Graeci, Armeni.* Voici, d'autre part, dans l'ordre, les nations qui forment les dix « escheles » de l'armée de Charles : Français, Bavarois, Allemands, Normands, Bretons, Poitevins, Auvergnats, Flamands, Frisons, Lorrains et Bourguignons. Dans ces

---
1. *Commentaires*, p. 53.
2. *Hist. occ.*, III, pp. 336-337.
3. Bretons.
4. Bourguignons.

onze noms, nous retrouvons d'abord exactement les neuf premiers de la liste de Foucher de Chartres, ensuite les *Aquitani,* placés un peu plus loin, représentés dans l'armée de Charlemagne par les Poitevins et les gens d'Auvergne. L'ordre n'est pas le même dans les deux textes; mais il faut remarquer que, dans les deux cas, les Français sont nommés en tête, que les Flamands et les Frisons, les Allemands et les Bavarois, les Lorrains et les Bourguignons sont dans les deux listes placés les uns à côté des autres. Très évidemment ces deux listes sont proches parentes et l'une dépend de l'autre. On voit même clairement le principe de la sélection que l'auteur de la *Geste Francor* a exercée dans celle de Foucher. Il n'a conservé que les contingents d'Allemagne et de France. Pourquoi? Lorsque nous connaîtrons la date et l'origine de la *Geste Francor,* nous pourrons sans doute répondre à la question. Une remarque s'impose cependant tout de suite, et nous en verrons plus loin la portée : l'armée de Charlemagne a la même composition que celle de la seconde Croisade, de l'expédition franco-allemande de 1147, qui réunit les peuples de Louis VII et de Conrad III.

En tout cas nous avons retrouvé une deuxième source de l'épisode de Baligant : les *Gesta Francorum* de Foucher de Chartres après les *Gesta Francorum* anonymes.

La preuve est ainsi faite que la version d'Oxford de *la Chanson de Roland* est postérieure à la première Croisade et que son auteur s'inspire de son souvenir. Comment en douter au reste, quand on retrouve dans la *Chanson* et, précisément, dans l'épisode de Baligant, l'expression même qui fut le cri de ralliement de la Croisade : « Dieu le veut » ? Charlemagne a pourfendu Baligant, l'armée païenne est vaincue et voici que notre poète s'écrie :

3265   Païen s'en fuient, cum Damnedeus le volt.

Une dernière remarque, un dernier argument. Nous lisons, au vers 2507, que Charles avait fait sceller dans le pommeau de son épée la pointe de la sainte Lance. G. Paris en a conclu que la *Chanson* devait être antérieure à « l'invention » miraculeuse de la sainte Lance à Antioche, par le prêtre provençal Barthélemy, en juin 1098. J. Bédier n'a eu aucune peine à montrer que cet argument était loin d'être sans réplique, l'authenticité de la relique d'Antioche ayant été très vite contestée[1]. Il faut aller plus loin que lui. La mention du vers 2507 sert au contraire à prouver que notre *Chanson* fut écrite après la Croisade. Nous savons en effet que « l'invention » du prêtre Barthélemy provoqua dans le camp des croisés de violentes discussions. Deux camps se formèrent, celui des Toulousains et des Provençaux dirigé par Raymond de Saint-Gilles, comte de Toulouse, qui

---

1. *Commentaires*, p. 42.

tenait pour l'authenticité, et celui des Normands groupé autour de Bohémond et de Tancrède, qui criait à l'imposture. Querelle politique autant que religieuse. Or, il suffit de lire le passage de la *Chanson* pour se rendre compte que son auteur a non seulement connu la contestation d'Antioche, mais qu'il tient à donner son avis dans l'affaire, lequel est nettement hostile à la thèse des Provençaux, de Barthélemy et de ses partisans. Tout le morceau a en effet un tour polémique très net. Le voici :

>2503 Asez savum de la lance parler
>Dunt Nostre Sire fut en la cruiz nasfret :
>Carles en ad la mure, mercit Deu ;
>En l'oret punt l'ad faite manuvrer.
>Pur ceste honur e pur ceste bontet
>Li nums Joiuse l'espee fut dunet.
>Baruns franceis nel deivent ublier :
>Enseigne en unt de Munjoie crier [1].

L'affirmation sans réplique du début : « Nous connaissons très bien l'histoire de la lance » ; l'injonction impérieuse aux Français : « les barons de France ne doivent l'oublier » ne laissent

---

1. Nous connaissons très bien l'histoire de la lance
Qui, sur la croix, blessa Notre-Seigneur !
Charles détient sa pointe, grâce à Dieu ;
Dans son pommeau doré il l'a fait enchâsser.
Cette bonté, cet honneur furent cause
Que le nom de Joyeuse fut donné à l'épée.
Et les barons de France ne doivent l'oublier :
Leur cri de ralliement : Montjoie en est tiré.

aucun doute sur le sens du passage. Le poète prend parti, non sans vivacité, dans une controverse qui n'était pas éteinte à l'époque où il écrivait [1].

Ainsi, nous percevons encore à travers la version d'Oxford de *la Chanson de Roland* l'écho des polémiques d'Antioche, si violentes qu'elles obligèrent le malheureux Barthélemy à accepter et à subir l'épreuve du feu. L'œuvre pour nous n'en est que plus vivante. Et du même coup, elle prend date certaine dans notre histoire.

La cause est, je crois, entendue. Le poète de *la Chanson de Roland* n'ignorait pas les récits de la Croisade. Mais comment les connaissait-il ?

---

[1]. Pourquoi prend-il ainsi parti ? En voici, je crois, la raison. Notre chanson, on le verra, n'est qu'un remaniement tardif d'une chanson plus ancienne, antérieure à la première Croisade. Or, dans cette version, figurait déjà la relique controversée, mentionnée également dans la version noroise qui représente un état du texte plus ancien que la version d'Oxford. Le rédacteur de celle-ci reprend et défend simplement la thèse de ses prédécesseurs.

III

LA *GESTE FRANCOR*

Il est peu vraisemblable que l'auteur de *la Chanson de Roland* ou du moins son dernier rédacteur ait connu directement les textes historiques concernant la Croisade dont nous trouvons le reflet dans son œuvre. Notre trouvère était un homme de talent; il ne fait pas figure d'érudit. Il faut donc penser qu'il ne connaissait ses sources que de seconde main, par l'intermédiaire d'un écrit qui les avait déjà exploitées. Ce récit de fond légendaire et de forme historique que nous avons déjà rencontré sur notre route racontait les exploits imaginaires de Charlemagne et des Francs en Espagne. Il avait emprunté aux *Gesta Francorum,* consacrés à l'histoire vraie de la première Croisade, leur titre, leur inspiration et aussi certains épisodes.

Cette supposition est à peine une hypothèse puisque l'auteur de la *Chanson* nous parle à plusieurs reprises d'un document, la « geste », qu'il donne lui-même comme une de ses autorités. Relevons les six passages où il en est question.

La première bataille est terminée. Des cent mille païens qui formaient la première armée de Marsile, seul Margariz a échappé. Turpin prend la parole :

1441   Dist l'arcevesques : « Nostre hume sunt mult proz ;
       Suz ciel n'ad home plus en ait de meillors.
       Il est escrit en la Geste Francor
       Que vassals est li nostre empereür. »[1]

Les Francs livrent leurs derniers assauts contre la seconde armée de Marsile. Roland, Olivier, Turpin y font merveille :

1680   Ki puis veïst Rollant et Oliver
       De leur espées e ferir e capler !
       Li arcevesque i fiert de sun espiet.
       Cels qu'il unt mort, ben les poet hom preiser,
       Il est escrit es cartres e es brefs,
       Ço dit la geste, plus de IIII milliers[2].

Turpin est blessé à mort. Avant de tomber, il frappe ses derniers coups :

---

1.   L'archevêque s'écrie : « Nos hommes sont des braves
     Nul sous le ciel n'en a de plus vaillants.
     Il est écrit dans la Geste Francor :
     C'est un valeureux que notre empereur. »
2.   Lors il faut voir Roland et Olivier
     De leurs épées et combattre et frapper !
     L'archevêque se bat avec son épieu.
     Ceux qu'ils tuèrent, on peut les dénombrer.
     Il est écrit dans les chartes et brefs,
     D'après la geste, plus de quatre milliers.

2090 En la grant presse mil colps i fiert e plus.
Puis le dist Carles qu'il n'en esparignat nul :
Tels IIII cenz i troevet entur lui,
Alquanz nafrez, alquanz par mi ferut,
S'i out d'icels ki les chefs unt perdut.
Ço dit la Geste e cil ki el camp fut,
Li ber Gilie, por qui Deus fait vertuz,
E fist la chartre el muster de Loüm.
Ki tant ne set ne l'ad prod entendut [1].

La « geste » se trouve ainsi placée sous l'autorité de saint Gilles.

Quatrième mention : le poète vient de terminer la revue de l'armée de Baligant, qui, d'après la *Geste Francor,* compte trente « escheles » :

3262 Geste Francor XXX escheles i numbrent.

Charlemagne est rentré à Aix. Il prépare le procès de Ganelon ; cinquième mention :

3742 Il est escrit en l'ancienne geste
Que Carles mandet humes de plusurs teres
Asemblez sunt ad Ais, à la capele [2].

---

[1] Dans la mêlée il porte plus d'un millier de coups.
Charles le dit : il n'épargna personne.
Quatre cents morts on trouva près de lui,
Les uns blessés, d'autres coupés en deux ;
Certains d'entre eux avaient perdu leurs têtes.
D'après la geste et le témoin de la bataille,
Saint Gilles à qui Dieu accorde des miracles
Qui en fit le récit dans le moutier de Laon.
Qui ne sait pas cela n'entend rien à l'histoire.

[2] Il est écrit dans la geste ancienne
Que Charles mande les hommes de ses terres.
Ils sont rassemblés à Aix-la-Chapelle.

Il y a enfin le dernier vers de la Chanson qui a donné lieu à tant de controverses :

4002   Ci falt la geste que Turoldus declinet.

Ainsi notre auteur, à en croire son propre témoignage, aurait eu sous les yeux un texte, rédigé en latin, comme l'indiquent et son titre *Geste Francor* et le pluriel du vers 3262 qui montre que le mot « geste » n'est que la transcription francisée du pluriel latin *gesta,* texte où il aurait puisé certains renseignements dont il a nourri son récit. Mais cet écrit a-t-il existé? N'est-il pas lui aussi une invention du poète qui veut donner un air d'authenticité aux créations de son imagination? Ce n'est assurément pas impossible; cependant, je ne le crois pas. Remarquons d'abord qu'une telle œuvre pseudo-historique ne serait pas une exception au XIIe siècle. Faut-il rappeler la *Vita sancti Wilhelmi,* la *Vita nobilissimi comitis Girardi de Rossellon,* la *Vita sancti Reinoldi* et surtout la chronique du pseudo-Turpin, plus exactement l'*Historia Karoli Magni et Rotholandi,* précisément consacrée aux campagnes légendaires de Charles en Espagne?

On notera aussi que la « geste » est invoquée six fois dans le poème. C'est déjà beaucoup s'il ne s'agit que d'une supercherie. C'est infiniment trop si ces citations, comme je vais le montrer, ne sont pas faites au hasard, si elles ont pour but de combattre, de détruire une autre version rivale de l'affaire de Roncevaux. Lancé dans une polémique, l'auteur de la *Chanson* n'invoquerait pas avec une telle insistance un texte inexistant.

Revenons aux mentions de la « geste » qui ont été citées plus haut. Les trois premières, trait frappant, concernent toutes l'archevêque Turpin. Simple coïncidence? Non, car comment ne pas être frappé par le ton agressif de la troisième citation qui se termine ainsi :

Ki tant ne set ne l'ad prod entendut.

« Qui ne sait pas cela n'entend rien à l'histoire. » Pourquoi notre auteur se met-il ainsi en colère? Y avait-il donc quelqu'un qui ignorait ou feignait d'ignorer la « vraie » histoire de Roncevaux, notamment le rôle héroïque que Turpin y avait joué, et à qui il était nécessaire d'opposer l'autorité de la « geste »? Il le semble bien, car relisant son texte, nous devinons, nous constatons qu'il veut évidemment démontrer que le vaillant homme d'Eglise a frappé de grands coups dans la bataille, et que notamment avant de mourir, il a tué *personnellement* quatre cents païens. A l'appui de sa démonstration, il invoque à la fois le témoignage de Charlemagne, celui de saint Gilles et celui de la « geste » qui, évidemment, les contient tous. Le poète de la *Chanson* tient en tout cas qu'il soit bien établi que Turpin a été un combattant de Roncevaux, un pourfendeur de païens. Et en effet, la deuxième citation de la « geste », celle du vers 1685, se propose exactement le même objet : elle nous confirme que, avant de tuer de sa propre main quatre cents Sarrasins, le brave Turpin a pris part avec Roland et Olivier au massacre de quatre mille ennemis. Voilà un prélat qui ne recule pas devant le sang versé.

Or nous possédons un document qui affirmait — et pour cause — que Turpin n'avait pas pris part à la bataille de Roncevaux et n'y avait point trouvé la mort, c'est la chronique du pseudo-Turpin qui se donne comme l'œuvre de Turpin lui-même. D'après l'*Historia Karoli Magni et Rotholandi,* l'archevêque a franchi les défilés avec l'avant-garde ; tandis que la bataille se livre, il est au camp de Charlemagne et lui chante la messe ; au moment de la mort de Roland, il a une vision : des anges enlèvent l'âme de Roland tandis que des démons s'emparent de celle de Marsile. Après le désastre, il s'est retiré à Vienne sur le Rhône, et c'est là qu'il a écrit ses mémoires. Ne serait-ce pas contre l'autorité du pseudo-Turpin que le poète de la *Chanson* brandit celle du pseudo-saint Gilles, puisque d'après le vers 2096, saint Gilles serait sinon l'auteur, du moins la source de la « geste » ? L'insistance avec quoi il cite la « geste » à propos de Turpin donnerait déjà à le penser. Mais nous avons un autre indice. Quand Charlemagne convoque à Aix le plaid qui doit juger Ganelon, le témoignage de « l'ancienne geste » est encore invoqué. Pour un acte de gouvernement et de justice aussi normal, aussi naturel, aussi attendu, la précaution paraît au moins superflue. Mais précisément la chronique de Turpin prétendait que le procès du traître avait eu lieu dans d'autres conditions; Turpin raconte en effet que le jugement et l'exécution de Ganelon eurent lieu non pas à Aix, mais sur-le-champ, à Roncevaux. Dès lors la mention de la « geste » au vers 3742, anormale dans son inutilité, devient au contraire toute naturelle, légitime, puisqu'il s'agit de redresser une erreur, et d'infirmer un témoignage.

L'hypothèse enfin devient une certitude si l'on veut bien examiner la curieuse citation de la *Geste Francor* faite par *Turpin lui-même* au vers 1443. Rappelons-la : faisant l'éloge des vaillants qui viennent de remporter la victoire, l'archevêque s'écrie :

1441 Nostre hume sunt mult proz;
Suz ciel n'ad home plus en ait de meillors.
Il est escrit en la Geste Francor
Que vassals est li nostre empereür.

Ces deux derniers vers ont été considérés comme une véritable énigme. L'idée, déclare J. Bédier, est d'une rare insignifiance; elle se rattacherait en outre fort mal à celle qui est exprimée dans les deux vers précédents. Tout le passage, à son avis, est incohérent. J. Bédier le considère comme un *locus desperatus*.

Or, il est impossible de voir en lui une interpolation : les deux vers énigmatiques se retrouvent plus ou moins altérés dans toutes les autres versions rimées ou assonancées. Ils sont donc bien à leur place. Mais sont-ils aussi énigmatiques et aussi insignifiants que le prétend J. Bédier ? Pour ma part, je leur trouve une signification fort plausible : Turpin vient de proclamer la vaillance des hommes de Charlemagne et il ajoute, de façon un peu elliptique il est vrai : « vaillance toute naturelle, puisque l'Empereur est lui-même le modèle des vaillants ». Ce qui est en tout cas tout à fait remarquable, c'est que le vers 1443 contienne la première mention de la « geste » dans *la Chanson de Roland* et que cette mention soit placée précisément dans la bouche de Turpin. Ne serait-ce pas parce que le poète a tenu à faire proclamer par l'archevêque lui-même, c'est-à-dire par l'auteur prétendu de la chronique dite de Turpin, l'antiquité, l'authenticité, la précellence de la *Geste Francor ?* Ce n'est pas, je crois, se lancer dans une hypothèse aventurée que de prétendre que nous avons là, sans doute, l'explication véritable de la présence, en cette place, de ces deux vers, qui ont pu paraître plats et maladroits, qui sont en réalité fort habiles. Le rédacteur de *la Chanson de Roland,* plus exactement celui de la version d'Oxford, ne se bat pas seulement contre les Sarrasins. Il a un autre ennemi : l'imposteur qui a défiguré, travesti la physionomie de la bataille de

Roncevaux et fait de l'héroïque prélat un simple chanteur de messes. Contre quoi Turpin lui-même proteste dans la *Chanson* :

> 1873 Si cum li cerfs s'en vait devant les chiens,
> Devant Rollant si s'en fuient paiens.
> Dist l'arcevesque : « Asez le faites ben !
> Itel valor deit aveir chevaler
> Ki armes portet e en bon cheval set :
> En bataille deit estre forz e fiers,
> U altrement ne valt IIII deners,
> Einz deit monie estre en un de cez mustiers,
> Si prierat tuz jurz por nos peccez. » [1]

Non ! Turpin ne célébrait pas la messe tandis que les douze pairs se battaient et mouraient à Roncevaux.

En tout cas, ce qui parait certain, c'est qu'une telle polémique, aussi vive, et soutenue au nom de la *Geste Francor* n'eût pas été possible s'il n'avait existé quelques *Gesta Francorum... Caesaraugustam expugnantium.*

Et l'existence de ce texte latin va enfin nous donner le sens du dernier vers du manuscrit d'Oxford.

---

[1]   Comme le cerf s'en va devant les chiens,
    Devant Roland ainsi fuient les païens.
    L'archevêque s'écrie : « Voilà qui est très bien !
    Cette valeur convient au chevalier
    Qui, bien armé, sur un bon cheval sied.
    Il faut qu'il soit au combat fort et fier,
    Ou autrement ne vaut quatre deniers.
    Qu'il soit donc moine en un de ces moutiers,
    Et chaque jour qu'il prie pour nos péchés. »

Ci falt la geste que Turoldus declinet.

On ressent, en vérité, une grande confusion à n'éprouver aucun embarras devant un texte qui a embarrassé tant de maîtres. Sur la signification du mot « geste », il ne peut y avoir le moindre doute. Comme l'a définitivement admis et établi J. Bédier[1], reprenant une vieille hypothèse, le mot ne saurait avoir ici que le sens qu'il a dans le reste du poème. Il désigne l'œuvre historique ou prétendue telle, la Chronique à laquelle le poète s'est référé déjà à cinq reprises au cours de son récit. Cette œuvre qui portait le titre de *Gesta Francorum...* rédigée par quelque clerc à l'imitation des récits de la Croisade était écrite en latin. Et cette circonstance nous donne la clef du mot « declinet ». « Declinet », que l'on a déjà interprété dans le sens de « transcrit », signifie « traduit », transcrit du latin en français, tout simplement. Ce sens dérive fort naturellement de celui du mot latin *declinare,* détourner, écarter, conjuguer, décliner, c'est-à-dire modifier systématiquement, *changer.* C'est celui que nous trouvons, manifestement, au début de *la Chanson de Sainte-Foi d'Agen,* poème provençal du XIe siècle, qui nous offre le plus ancien exemple connu du mot en roman[2].

---

1. *Commentaires,* p. 34.
2. *Ibid.,* p. 364.

> Legir audi sotz eiss un pin
> Del vell temps un libre latin;
> Tot l'escoltei tro a la fin.
> Hanc non fo senz q'el nonl declin.

« J'entendis lire, sous un pin, traduit Antoine Thomas, un livre latin du vieux temps; je l'écoutai tout jusqu'à la fin. Jamais ne fut sens, qu'il ne l'expose. » La traduction du dernier vers n'est pas claire, reconnaît J. Bédier. C'est le moins qu'on puisse dire. Je crois qu'il faut l'interpréter ainsi : « Il n'y eut aucune phrase qu'il ne traduisît. » Le mot *sensus,* « senz » a souvent en effet la signification de « phrase », de « période » dans les ouvrages latins de rhétorique. Quant à la traduction de « declin », elle est en quelque sorte imposée par le contexte : on lit un livre latin, notre auteur l'écoute jusqu'au bout; il peut le faire, car le lecteur traduit au fur et à mesure [1].

Mais revenons au vers final de *la Chanson de Roland.* Je pense qu'il faut le comprendre ainsi : « Ici finit la geste que traduit Turoldus », ou plus exactement : « Ici finissent les *Gesta* que

---

1. On trouvera peut-être la traduction de « décliner » par « traduire » trop précise. Je conviens que l'on peut avoir ce scrupule. La traduction exacte serait « changer » avec évidemment le sens de « traduire ». Le verbe « décliner », exactement comme le verbe « changer », est à la fois neutre et actif. Il est employé deux fois dans la *Chanson,* au dernier vers comme verbe actif, au vers 2.447 comme verbe neutre :

> Quant veit li reis le vespres decliner

qu'il faut à mon sens traduire :

> Quand le roi voit le soir changer.

traduit Turoldus. » Turoldus n'est pas, comme le suppose Bédier, après Rajna et Genin [1], l'auteur de la « geste », mais bien l'auteur de la *Chanson,* ou du moins de la version d'Oxford. Il se proclame simple traducteur des *Gesta,* ce qui signifie qu'il a emprunté aux *Gesta* la matière d'une partie au moins de son poème. Et son dernier vers n'est en somme qu'une suprême affirmation de la véracité de son récit, en même temps qu'une signature [2].

Il n'est peut-être pas impossible, avec les très sommaires indications de la *Chanson,* de se faire une idée de ce que pouvait être la *Geste Francor* et des conditions dans lesquelles elle est née. Elle racontait certainement la bataille de Roncevaux, sans doute d'après un vieux poème, le même vraisemblablement qu'a suivi à son tour le remanieur à qui nous devons la version d'Oxford. Après, venait l'épisode de Baligant. Celui-ci porte la trace certaine et profonde des récits de la première Croisade ; il constituait donc selon toute

---

[1]. Génin traduisait : « Ici s'arrête la *geste* que Turoldus nous expose. »

[2]. Une circonstance peut peut-être étayer notre interprétation du mot « décliner ». On sait que dans le manuscrit d'Oxford, au bas du f° 72, r°, après le dernier vers de la *Chanson,* 6 lignes ont été ajoutées au XIIIe siècle, puis effacées. M. Ch. SAMARAN, dans son étude introductive à l'édition du comte Alex. de Laborde (1933), a proposé un déchiffrement partiel de ces six lignes. Au début de la Ire ligne, il lit « Ci falt la geste... », à la 6e, le mot « Chalcidius ». A la date où ces lignes furent écrites, le manuscrit d'Oxford se trouvait donc déjà relié, comme aujourd'hui, avec la traduction latine du *Timée* de Platon par Chalcidius. L'auteur des six lignes effacées rapprochait-il la « traduction » de Turoldus de celle de Chalcidius, placée sous la même reliure ?

probabilité l'apport personnel de l'auteur des *Gesta Francorum* en terre d'Espagne; c'est par cette voie qu'il est entré d'abord dans la légende, puis dans *la Chanson de Roland,* lorsque Turold décida de l'y incorporer en transposant, en traduisant, en « déclinant » la *Geste Francor.* Celle-ci relatait enfin, Turold nous l'affirme encore, l'histoire de l'Assemblée d'Aix et du jugement de Ganelon. S'arrêtait-elle là ? Avant d'écrire « ci falt la geste », Turold, dans la dernière laisse de sa Chanson, entame le récit d'une nouvelle expédition de Charlemagne. Faut-il donc penser que, en dépit de son affirmation, son modèle ne finissait pas là ? Nous trouvons — on le sait — la suite de son histoire dans la *Keiser Karl Magnus's Kronike,* qui rapporte, fort brièvement d'ailleurs, l'expédition en terre de Bire ou de Libia contre le roi Gealver ou Galafre. Et la même chronique danoise raconte ensuite l'histoire de la révolte des Saxons, de Baudoin et de la reine Sibille [1] :

« Ensuite l'Empereur s'en retourna en France. Là vint à lui Boldevin, fils de sa sœur. L'Empereur fut content de sa venue, car c'était un bon chrétien et guerrier. L'Empereur reçut aussi une lettre : la reine Sibilla et son fils Justam étaient venus en Saxe avec cent mille hommes. L'Empereur réunit son armée et lui donna pour chef

---

1. Cf. Léon-GAUTIER, *la Chanson de Roland,* 1872, II, p. 264. L'histoire de Baudoin et de Sibille a fourni la trame de *la Chanson des Saisnes,* de Jean BODEL.

Boldevin, Olger le Danois et Namlun. Ils marchèrent contre la reine Sibilla et arrivèrent à l'improviste dans son camp pendant la nuit; ils renversèrent les païens et prirent là bon nombre de leurs chefs; Boldevin en personne s'empara de la reine Sibilla. Mais son fils Justam accourut au secours avec un certain nombre d'hommes et s'écria : « En avant vaillamment! je n'ai plus peur d'aucun chevalier ni combattant, depuis que Roland est mort. » Ils combattirent tout le long du jour. Enfin Justam fut pris et tous ses gens tués. L'Empereur fit baptiser la reine Sibilla et la donna à Boldevin, et il le fit roi sur toute la Saxe. Et l'Empereur retourna en France, et, pendant quelques années encore, régna en paix. »

L'auteur de notre *Chanson de Roland* n'ignorait certainement pas cet épisode. Ce Boldevin, ce Baudouin, neveu lui aussi de Charlemagne, n'est autre en effet que le demi-frère de Roland, le fils de Ganelon, celui que le traître recommande à l'empereur en ces termes :

> 312 Ensur que tut si ai jo vostre soer,
> Sin ai un filz, ja plus bels n'en estoet.
> Co est Baldewin, ço dist, ki ert prozdoem,
> A lui lais jo mes honurs et mes fieus.
> Guardez le ben, ja nel verrai des oilz [1].

---

1. Par-dessus tout, ma femme est votre sœur.
J'en ai un fils; il n'en est de plus beau.
C'est Baudouin, dit-il, qui sera preux
A lui je laisse mes charges et mes fiefs.
Gardez-le bien.; mes yeux ne le reverront plus.

Turold n'aurait pas ainsi parlé de ce Baudouin et proclamé que le fils du traître serait un preux, s'il n'avait su ses futurs exploits. Il connaissait les deux épisodes qui suivent le récit de l'affaire de Roncevaux dans la chronique danoise.

Il serait toutefois téméraire d'en conclure qu'ils figuraient dans la *Geste Francor*. Rien ne permet de l'affirmer, et il y a de bonnes raisons pour penser que Turold les avait lus dans quelque autre document ou quelque autre poème. Il y a d'abord le témoignage de la Chanson elle-même : « ci falt la geste ». Le poète [1] en évoquant les débuts d'une nouvelle expédition de Charlemagne vers le pays du roi Vivien a voulu évidemment marquer la place de l'œuvre dans le cycle des épopées carolingiennes. Mais, cette brève indication donnée aux jongleurs, il se garde de dépasser le cadre de son récit, du document qui lui sert de source et dont il tient à tracer la limite : « ci falt la geste... »

Ce témoignage pourrait suffire. Il y en a un autre fourni par la chronique danoise elle-même. Celle-ci, comme la *Karlamagnussaga*, qu'elle suit d'ailleurs avec assez de fidélité, ignore tout de l'intervention de Baligant, de la bataille qu'il livre à Charles, de sa mort et de la prise de Saragosse. Or, l'épisode de Baligant faisait sûrement partie de la *Geste Francor* dont il était même, sans doute,

---

[1]. Ou peut-être, tout simplement, le copiste à qui nous devons le manuscrit d'Oxford.

la pièce maîtresse et la plus originale. La *Keiser Karl Magnus's Kronike* ignorait donc la « geste » et en conséquence ce n'est pas à elle qu'elle a pu emprunter l'épisode de la détresse du roi Iven ou Vivien et celui qui narrait les prouesses du jeune Baudouin. La *Geste Francor* comme la chronique du pseudo-Turpin ne s'intéressait qu'aux affaires d'Espagne.

Cette circonstance va au reste nous aider à comprendre les conditions dans lesquelles elle a pu naître. Joseph Bédier a élégamment et parfaitement démontré que la chronique attribuée à Turpin a été composée sous l'influence de Cluny entre 1140 et 1150 pour la plus grande gloire de Saint-Jacques de Compostelle. Je crois que l'on peut fixer sa date avec encore plus de précision. Le chapitre XXI de la chronique contient *in fine,* une dissertation sur les femmes et leur rôle néfaste dans les armées. Cette digression constitue une indication chronologique précieuse qui nous permet de placer avec certitude sa rédaction après la seconde Croisade.

Une grande discussion s'était instituée en effet au cours des préparatifs de la Croisade sur le sujet de savoir si les femmes pouvaient accompagner leurs maris. Saint Bernard décida que les femmes, ainsi que les serfs, avaient le droit de faire leur salut et de suivre l'expédition. Louis VII donna l'exemple en emmenant avec lui la reine Aliénor. Le rédacteur clunisien de la chronique est d'un avis opposé à celui du grand abbé cistersien : « Il est évident, écrit-il[1], que pour ceux qui sont à la bataille la compagnie des femmes est pernicieuse. Certains princes de la terre, Darius notamment et Antoine, partirent jadis à la guerre accompagnés de leurs épouses, et tous deux s'écroulèrent; Darius fut vaincu par Alexandre et Antoine par Octavien Auguste. C'est pourquoi il n'est ni convenable, ni expédient d'avoir des femmes dans les camps, d'où doit être extirpée la concupiscence, trop lourd bagage pour l'âme et pour le corps. » L'allusion à l'histoire lamentable de la seconde Croisade et aux discussions au sein du ménage royal pendant l'expédition est ici transparente. L'expédition, on le sait, se termina par un désastre militaire et par la brouille conjugale qui devait aboutir au divorce du roi et d'Aliénor. Le morceau n'a pu être écrit qu'en 1149.

La *Geste Francor* devait exister déjà. Si le récit de l'affaire de Roncevaux, tel que nous le lisons dans le pseudo-Turpin, est en effet profondément différent de celui qui nous enchante dans *la Chanson de Roland*[2], il contient néanmoins certains traits qui révèlent que son auteur connaissait le canevas de notre *Chanson*. Il connaissait en tout cas Baligant, qu'il appelle Beligand,

---
1. *Turpini historia...* Ed. Castets, p. 43.
2. On en trouvera une bonne analyse dans Fawtier, *la Chanson de Roland.*

dont il fait, il est vrai, un frère de Marsile en même temps qu'un délégué en territoire espagnol de l'amiral de Babylone. Mais ce ne sont pas les ressemblances entre les deux récits qui sont intéressantes, ce sont les différences ; car celles-ci sont trop systématiques pour être dues au hasard. Par exemple, dans la *Chanson*, Roland va mourir en avant du champ de bataille, vers les païens, pour marquer sa victoire. Dans *Turpin*, Roland revient pour mourir tout en arrière du champ de bataille et c'est lui que l'empereur verra d'abord en descendant des ports. Dans la *Chanson* Roland meurt invaincu, sans avoir reçu une blessure ; son cheval est tué dans la bataille. Dans *Turpin*, Roland reçoit quatre blessures, mais son cheval est sain et sauf et sert à Baudoin à aller prévenir Charlemagne. Dans la *Chanson*, le duel Pinabel-Tierri a lieu à Aix ; dans *Turpin* le combat a lieu à Roncevaux même. Le procédé est évident. Quelle peut être sa signification et sa portée ?

Je crois que l'explication nous est fournie par une autre particularité de la narration du *Turpin*. Tandis que dans le récit épique tous les combattants de Roncevaux périssent, dans la chronique deux d'entre eux échappent à la mort : Baudouin et Tierri. Ceux-ci assistent aux deux combats, l'un victorieux, l'autre malheureux, que l'arrière-garde livre contre les deux corps de l'armée païenne, mais ils réussissent à échapper au massacre final en se cachant dans les bois.

Tous deux reparaissent pour assister Roland au moment de sa mort. En d'autres termes ils ont été de bout en bout témoins de toute l'affaire. Ils ont pu la raconter après coup et c'est là le secret de leur surprenante aventure.

On ne peut sans sourire évoquer le côté puéril des polémiques où se heurtaient clercs et poètes du XIIe siècle. Nous avons vu le poète de la *Chanson* brandir contre le pseudo-Turpin le témoignage de la *Geste Francor*. Cependant le faussaire de l'*Historia Karoli Magni et Rotholandi* s'était déjà efforcé de détruire l'autorité de ce témoignage. Car le sauvetage des deux témoins : Baudoin et Tierri, sans parler de celui de Turpin, n'a qu'un but, ou, plutôt, qu'une explication : il s'agit de garantir l'exactitude du pseudo-Turpin et de ruiner le récit rival. Celui-ci présentait en effet une grande faiblesse : « Comment sait-on la vérité des paroles et des actions des combattants de Roncevaux ? Ils ne peuvent les avoir rapportées eux-mêmes, puisque tous furent tués dans la bataille », écrit encore au milieu du XIIIe siècle le Stricker, le compilateur de *Karl der Grosse*. Et voici sa réponse : « Mais apprenez que saint Gilles, le pur, vivait alors en Provence, solitaire, dans une grotte... Un saint ange lui rapporta tout ce qui se passait à Roncevaux, saint Gilles l'écrivit en toute vérité et remit ensuite à Charlemagne cette relation écrite. Et depuis, son livre nous est resté, sans nulle altération. » Ce livre, nous le connaissons déjà, c'est « la geste », « l'ancienne geste », la *Geste Francor :*

> 2095 Ço dit la geste e cil ki el camp fut :
> Li ber Gilie, por qui Deus fait vertuz,
> E fist la chartre el muster de Loüm;
> Ki tant ne set ne l'ad prod entendut.

Passage que le prêtre Konrad traduit ainsi dans le *Ruolandes liet :* « Saint Egidie fit écrire ces choses dans la ville de Laon, comme l'empereur le lui ordonna. » Saint Gilles, ermite du VIe siècle, transféré au VIIIe siècle, aurait assisté en vision à la bataille de Roncevaux et en aurait fait et déposé à Laon le récit. « Avant la *Chronique* du pseudo-Turpin, on aurait donc composé une Chronique du pseudo-saint Gilles », constate J. Bédier [1]. Assurément et l'on peut même ajouter que dans la *Chronique* Turpin n'a été sauvé de la mort, avec Baudouin et Tierri, que pour porter témoignage contre le faux saint Gilles.

Querelles de moines très certainement. A quelle date a pu être écrite la *Geste Francor?* Elle est certainement postérieure à la prise de Saragosse en 1118. Mais nous pouvons sans doute arriver à plus de précision. Plus haut, nous avons noté que la composition de l'armée de Charlema-

---

1. *Les Légendes épiques,* III, 3e édition, p. 359. Toutes les citations utiles sur cette question se trouvent réunies dans cette partie de l'œuvre maîtresse.

gne, qui ne comprend ni Anglais ni Italiens, coïncide exactement avec celle de l'expédition franco-allemande de la deuxième Croisade. Et cette coïncidence nous amène à penser que la *Geste Francor* dont l'élément le plus original était certainement l'histoire de Baligant, fut composée vers 1146 à la veille du départ de la seconde expédition de Terre Sainte, pour réchauffer le zèle assez tiède des nouveaux croisés et même celui des grandes autorités spirituelles. Car l'abbé de Saint-Denis, Suger, était hostile au projet. Le pape Eugène III l'accueillit, mais sans enthousiasme. Enfin la plus puissante organisation religieuse du temps, Cluny, étroitement mêlée et intéressée aux affaires d'Espagne et à la prospérité du pèlerinage de Saint-Jacques, ne s'était jamais montrée très favorable depuis la prise de Jérusalem aux entreprises orientales. L'ordre tout-puissant craignait sans doute que la noblesse de France, qu'il lançait depuis un siècle dans la lutte contre les infidèles de la péninsule, ne préférât d'autres aventures, plus lointaines, mais plus fructueuses. M. P. Boissonnade[1] a bien montré comment les papes clunisiens du début du XIIe siècle, Pascal II, Gélase II et surtout Calixte II s'intéressèrent de très près aux expéditions espagnoles, déclarant que « la guerre contre les infidèles d'Espagne n'était pas moins importante que celle de

---

[1]. Op. cit., p. 41.

Terre Sainte ». L'idée de la Croisade d'Orient se heurtait donc à de puissants préjugés.

Or l'épisode de Baligant répond précisément à ces préjugés. Quels furent en effet, dès avant la première Croisade, la grande idée, le grand argument des partisans de l'expédition d'Orient? C'est l'idée, c'est l'argument de la solidarité de tout le monde musulman. La recrudescence du péril musulman en Espagne, au lendemain de l'invasion des Almoravides africains en 1086, fut le fait décisif qui détermina Urbain II à prendre l'initiative de la grande diversion orientale que fut la première Croisade. L'auteur de l'épisode de Baligant ne fait que reprendre la même idée et au fond la même thèse. Il montre l'Espagne païenne secourue par l'amiral de Babylone et son immense armée. La guerre d'Orient, faisant diversion, sera encore une fois le salut de l'Espagne chrétienne.

La Croisade trouva, en 1146, un avocat magnifique dans saint Bernard. Il ne fallut rien de moins que son énergie, son enthousiasme, son éloquence pour assurer le succès de l'idée. Mais saint Bernard était cistercien. La *Geste Francor,* du pseudo-saint Gilles, se présente ainsi à nous comme une œuvre cistercienne. Et voilà pourquoi sans doute la chronique de Turpin fut écrite par un clunisien au lendemain du lamentable échec et du scandale de la seconde Croisade, pour la plus grande gloire de Saint-Jacques de Compostelle et pour la plus grande confusion des thèses cisterciennes et de la *Geste Francor*.

Il ne faut pas se dissimuler, d'autre part, que la figure de Turpin telle qu'elle ressortait, d'après les citations de *la Chanson de Roland,* de sa source latine, avait pour des partisans de la réforme religieuse dont Cluny s'était fait le défenseur, quelque chose de choquant. Le but essentiel de la réforme consistait, on le sait, à faire sortir les membres de la hiérarchie ecclésiastique de la hiérarchie féodale et militaire où les avaient insérés deux siècles d'abus. Dès 1049 le concile de Reims avait condamné formellement le service des clercs. Le Turpin du *Roland* apparaît au contraire comme le type de ces prélats guerriers et batailleurs que la réforme s'efforçait, non sans peine, de faire disparaître. Et, sans doute, dans sa chronique, Turpin confesse qu'il a de sa personne combattu les païens : « *et Sarracenos propriis armis sæpe expugnabam* » ; il n'en reste pas moins que, à Roncevaux, il chantait la messe tandis que les autres se battaient. Et, incontestablement, saint Bernard était lui aussi un très zélé partisan des idées de la réforme ; mais pour lui l'état clérical n'excluait nullement l'état militaire, surtout quand il s'agissait de combattre les païens. Tout au contraire saint Bernard, on le sait, prit une grande part à la création de l'ordre des Templiers, dont il rédigea peut-être la règle. Et son « Éloge de la nouvelle milice » est animé d'un puissant souffle guerrier : « Le chevalier du Christ tue en conscience et meurt plus tranquille : en mourant, il fait son salut; en tuant, il travaille pour le Christ. » On croirait entendre Turpin achevant son sermon avant la bataille :

> 1134 Se vos murez, esterez seinz martirs,
> Sieges avrez el greignor pareïs
> ....
> Par penitence les cumandet a terir [1].

Mais si le Turpin de la *Chanson* pouvait passer pour un modèle aux yeux des Templiers de saint Bernard, il pouvait aussi être un objet de scandale pour les moines scrupuleux de Cluny.

Querelles de moines, de forme puérile, avons-nous dit. Certes! Mais querelles où se heurtaient de grandes idées politiques et de puissants intérêts, matériels et spirituels.

---

[1].   Si vous mourez, vous serez saints martyrs
Vous siégerez au plus haut paradis
....
Pour pénitence, il leur ordonne de frapper.

IV

LA DATE DE LA VERSION D'OXFORD

Cette étude sur les sources de *la Chanson de Roland* conduit, je dois le confesser, à des conclusions surprenantes. Jamais jusqu'ici les partisans d'une date relativement basse pour la composition de la *Chanson,* n'ont considéré que cette date pût être inférieure au premier tiers du XIIe siècle. L'année 1131 se dressait d'ailleurs devant eux comme une barrière car l'on admettait généralement que c'est en 1131-1132 que le prêtre Konrad avait, pour plaire à son protecteur Henri le Superbe, duc de Bavière, composé le *Ruolandes liet* « qui est, comme l'écrit J. Bédier, une paraphrase et souvent une traduction littérale de *la Chanson de Roland* ».

Or notre enquête aboutit aux propositions suivantes :

1° une des sources du *Roland,* celle que le poète appelle la *Geste Francor,* n'aurait été composée qu'en 1146;

2° l'auteur de la version d'Oxford paraît avoir connu la chronique du pseudo-Turpin, laquelle n'a certainement pas été rédigée avant 1140, et ne l'a probablement été qu'en 1149.

C'est donc après cette date, c'est seulement après la seconde Croisade, que notre *Chanson de Roland* aurait été écrite. Celle-ci n'est d'ailleurs qu'un remaniement d'une œuvre plus ancienne. Et ce remaniement n'est même pas le premier, selon toute vraisemblance.

Au cours du second tiers du XIIIe siècle, entre 1230 et 1250, le roi Haakon V de Norvège fit rédiger en langue noroise une vaste compilation, la *Karlamagnussaga,* véritable histoire légendaire et poétique de Charlemagne, d'après nos chansons de geste. La huitième partie, la huitième « branche » de la *Karlamagnussaga* raconte la bataille de Roncevaux ; elle la raconte d'après un poème dont le texte était par endroits si voisin de celui d'Oxford que la version noroise peut servir à la critique du texte français. Ce poème, toutefois, ne connaissait ni Geoffroi d'Anjou, ni le cri de Montjoie qui tiennent une place assez visible dans notre *Chanson*. Son ordonnance de la bataille, en trois épisodes nettement tranchés, était plus cohérente que celle du récit d'Oxford. Il ignorait l'intervention de Baligant, la prise de Saragosse ainsi que le duel judiciaire entre Pinabel, champion de Ganelon, et Tierri, champion de l'empereur. Il racontait, en revanche, comment Charlemagne avait jeté dans le torrent la lame de Durendal que personne n'était digne de porter, après

Roland, comment des buissons avaient poussé sur les corps des païens, permettant au roi de reconnaître les chrétiens et de les ensevelir dignement, comment les corps des douze pairs furent transférés à Arles, comment enfin Ganelon fut jugé et écartelé. Joseph Bédier estime que le modèle de la *Karlamagnussaga* « devait être une archaïque version de *la Chanson de Roland,* concurrente de celle d'Oxford »[1]. En d'autres termes ce modèle donnait un état du texte antérieur à celui d'Oxford, sans d'ailleurs être lui-même le premier. Car je pense — et ici je me sépare de J. Bédier — que le *Carmen de prodicione Guenonis,* bizarre poème latin de 241 distiques, représente, non pas assurément la traduction, mais le témoin d'une version encore plus ancienne, peut-être de la version primitive.

Les avatars de la *Chanson* ne devaient d'ailleurs pas prendre fin avec la naissance de la version d'Oxford. Le poème était destiné à renaître sous deux formes nouvelles : la version assonancée de Venise et la version rimée. La version d'Oxford n'est donc qu'un moment, une date d'une longue histoire. Déterminer ce moment, fixer cette date a évidemment pour nous moins d'importance que pour ceux qui ont cru ou croient encore que la rédaction du texte d'Oxford représente une sorte de naissance miraculeuse. Il serait

---

1. *Commentaires,* p. 73.

cependant du plus haut intérêt de définir enfin un point fixe dans l'histoire de notre plus belle chanson de geste.

Est-ce possible? Je crois que oui et je dis tout de suite que pour moi ce point fixe se place aux environs de l'année 1158.

Il est dans *la Chanson de Roland* un personnage qui ne joue aucun rôle éminent mais qui se fait remarquer par sa présence constante auprès de Charlemagne, c'est Geoffroi d'Anjou, gonfalonier du roi. Ce personnage, remarque importante, est un tard venu dans le cycle de Roland, car il ne figure pas dans la *Karlamagnussaga*. Il nous est présenté au vers 106 :

> Gefreid d'Anjou, le rei gunfanuner.

Dans la bataille contre Baligant, il remplit son office de porte-enseigne : le poète vient de décrire la dixième « eschele » de l'armée de Charles, celle des barons de France; il continue :

> 3092 Munjoie escrient; od els est Carlemagne.
> Gefreid d'Anjou portet l'orie flambe [1].

Plus loin nous lisons encore :

> 3542 Mult ben i fiert Carlemagne li reis,
> Naimes li duc e Oger li Daneis,
> Geifred d'Anjou, ki l'enseigne teneit.

Geoffroi d'Anjou, porte-enseigne du roi à l'ar-

---

1. L'oriflamme.

mée, transmet ses ordres en campagne (v. 2950) et l'assiste de ses conseils. Enfin, précision importante, c'est son frère Tierri qui défend contre Pinabel, champion de Ganelon, la cause du roi dans le duel judiciaire par quoi se termine le procès du traître.

Qui est ce Geoffroi d'Anjou? Evidemment une invention du poète, car aucun seigneur angevin du nom de Geoffroi n'a collaboré avec Charlemagne. Le nom cependant n'est pas choisi au hasard : il est traditionnel dans la famille des comtes d'Anjou depuis Geoffroi Ier Grisegonelle (958?-987) jusqu'à Geoffroi IV le Bel (1129-1151), en passant par Geoffroi Martel (1040-1060) et Geoffroi le Barbu (1060-1067). Mais, plus encore que le nom, le titre de gonfalonier du roi, rappelé avec une insistance significative, mérite de retenir l'attention.

Durant les premières années de règne d'Henri Plantegenet, comte d'Anjou, duc de Normandie, duc d'Aquitaine par son mariage avec Aliénor et, depuis 1154, roi d'Angleterre sous le nom de Henri II, parut un curieux opuscule, œuvre de Hugues de Clers, ou de Clefs, sénéchal de la Flèche et de Baugé, conseiller d'Henri II, sous le titre : *De majoratu et senescalcia Franciæ comitibus Andegavorum collatis*[1] (De l'attribution

---

[1]. Marchegay et Salmon, *Chroniques des comtes d'Anjou*, 1871 (Soc. H. de Fr.) et L. Halphen et R. Poupardin, *Chroniques des comtes d'Anjou et des seigneurs d'Amboise*, 1913.

aux comtes d'Anjou de la mairie et de la sénéchaussée de France). Ce court mémoire entend démontrer que les comtes d'Anjou possèdent à titre héréditaire la charge de grand sénéchal de France, de *dapifer,* premier officier de la couronne, c'est-à-dire outre la première place à la cour, le commandement général de l'armée, symbolisé par le port de l'enseigne royale, en fait, au XIIe siècle, une sorte de vice-royauté.

Hugues de Clers raconte d'abord comment le roi Robert, pour payer Geoffroi Grisegonelle des services rendus, notamment lors de l'invasion de l'empereur Otton II, lui avait conféré, à titre héréditaire, mairie et dapiférat, *majoratum regni et regiæ domus dapiferatum.* Toute cette première partie est bourrée d'anachronismes : Geoffroi Grisegonelle était déjà mort quand Robert monta sur le trône ; quant à l'expédition d'Otton II, elle eut lieu en 978, sous le roi Lothaire, près de vingt ans avant le début du règne personnel de Robert le Pieux. L'invention est manifeste. Une deuxième partie raconte une entrevue imaginaire qui aurait eu lieu vers 1120 entre Louis VI et Foulque V, au cours de laquelle le roi de France, désireux d'obtenir le concours du comte contre Henri Ier d'Angleterre, lui aurait confirmé les droits héréditaires de la maison d'Anjou à la mairie et à la dignité de grand sénéchal de France. Hugues de Clers énumère donc les prérogatives honorifiques, militaires et judiciaires des comtes d'Anjou dans le royaume de France. Les prérogatives judiciaires méritent une mention spéciale : « Lorsque le comte sera en France, tout ce que sa cour jugera sera valable et définitif. Si une contestation s'élève au sujet d'un jugement rendu en France, le roi demandera au comte de venir pour l'amender et si le comte refuse de venir, le roi enverra les pièces des deux parties et le jugement de sa cour sera valable et définitif. » Et Hugues de Clers ajoute sans vergogne : « *J'ai vu* personnellement beaucoup de jugements rendus en France réformés en Anjou. »

Achille Luchaire[1] n'a pas eu de peine à montrer que ce mémoire tout entier n'était qu'un tissu d'impostures. Il a supposé, et son hypothèse a été généralement admise, que l'ouvrage fut composé en 1158, au moment où s'ouvrit la succession du comté de Nantes et où des négociations décisives s'engagèrent entre le puissant et entreprenant Henri II et le faible et timide Louis VII. Geoffroi, frère d'Henri II, comte de Nantes depuis deux ans, étant mort sans enfant, le comte d'Anjou, quoique ses titres soient plus que douteux, réclame l'héritage. Parallèlement, il négocie avec son suzerain le roi de France. Le 31 août 1158, près de Gisors, un traité est conclu. Henri, le fils aîné du roi d'Angleterre, âgé de trois ans, est fiancé à la troisième fille de Louis VII, Margue-

---

1. Hugues de Clers et le *De senescalcia Franciæ*, 1897.

rite, âgée de six mois. En même temps il est convenu que Henri II entrera en Bretagne à titre de sénéchal de France, *quasi senescallus regis Franciæ*. C'est pour appuyer cette revendication que le traité de Hugues de Clers aurait été composé.

La date ne paraît pas douteuse. Elle est confirmée par une charte de Saint-Julien-de-Tours, dans laquelle Henri II déclare qu'à Orléans le roi a reconnu que la garde de l'abbaye de Saint-Julien-de-Tours appartenait au comte d'Anjou en raison de sa dignité de sénéchal, *ex dignitate dapiferatus mei*. Cette charte, éminemment suspecte, et dont Hugues de Clers est un des signataires, ne porte pas de date. Mais elle ne peut avoir été composée qu'en 1158. A partir de ce moment d'ailleurs les mentions des prétendus droits des comtes angevins ne sont pas rares, au moins dans les écrits rédigés sur le domaine du Plantagenet. Robert de Torigni, par exemple, en fait état aux années 1164 et 1169. La date paraît donc certaine. En revanche le motif des inventions grossières de Hugues de Clers, invoqué par A. Luchaire, paraît insuffisant.

En vérité, la revendication de la dignité de grand sénéchal par le Plantegenet est beaucoup plus qu'un expédient passager pour résoudre l'affaire de Nantes. Elle est liée à toute la politique d'Henri II qui visait peut-être à l'Empire et sûrement à la domination sur le royaume de France. En 1158, il convient de le rappeler, Louis VII, roi depuis vingt ans, n'avait pas encore d'héritier mâle : le futur Philippe-Auguste ne devait naître qu'en 1165. En faisant épouser à son fils aîné une fille de France, Henri II préparait les voies à des revendications ultérieures sur la couronne elle-même encore théoriquement élective. Quelle force pour appuyer ces revendications eût représenté la possession héréditaire de la dignité de grand sénéchal qui faisait de son titulaire le chef de l'armée et celui de la cour, une sorte de vice-roi, sans parler des prérogatives judiciaires extraordinaires réclamées par Hugues de Clers ! En fait l'imposture de 1158 est l'expression des ambitions immenses du tout-puissant Plantegenet. Elle est liée à toute sa politique, elle est née avec celle-ci. Or celle-ci n'a dû se dessiner qu'après 1152, c'est-à-dire après le mariage du fils de Geoffroi le Bel, héritier des domaines angevins et normands, avec Aliénor d'Aquitaine, mariage qui achevait de faire de lui le maître de la moitié du royaume, infiniment plus puissant en France que le roi lui-même. Elle n'est même guère admissible avant 1154, avant l'accession d'Henri II au trône d'Angleterre. Ainsi, c'est entre 1154 et 1158 que seraient nées les prétentions angevines à la dignité héréditaire de grand sénéchal de France.

C'est bien en effet ce que semble indiquer un autre texte un peu antérieur au traité de Hugues de Clers et qui est l'affirmation la plus ancienne, sans doute, des revendications des comtes d'Anjou. Nous le lisons dans les *Gesta consulum Andegavorum*[1], au chapitre qui concerne Geoffroi Grisegonelle : « *Qui, ob insignia summi et singularis meriti, a rege in prœliis signifer et in coronatione regum dapifer, tam ipse quam ejus heredes constituuntur.* »[2]. Le comte du Xe siècle aurait donc reçu, à titre héréditaire, la dignité de gonfalonier à l'armée et celle de sénéchal dans les cérémonies du couronnement. Ce texte figure dans la rédaction des *Gesta* qui a été compilée aux environs de l'année 1170 par le moine Jean, de Marmoutier, et dans laquelle il se trouve suivi d'un large emprunt au traité de Hugues de Clers. Mais il figurait déjà dans une rédaction antérieure, plus brève, que Mabille[3] a reconnue dans le manuscrit 6218 de la Bibliothèque Nationale et qu'ont suivie dans leur édition MM. Louis Halphen et René Poupardin. Fixer la date de cette rédaction, c'est déterminer, du même coup, celle de la naissance des prétentions de la maison d'Anjou.

Jean, moine de Marmoutier, nous expose lui-même dans sa préface la genèse de son œuvre. Son travail de compilation, explique-t-il, a été

---

1. *Chroniques des comtes d'Anjou et des seigneurs d'Amboise*, p. 37. Ed. L. Halphen et R. Poupardin, Paris 1913.
2. Qui, en raison de ses exploits d'un rare et exceptionnel mérite, reçut du roi la dignité de gonfalonier dans les combats et celle de grand sénéchal au couronnement des rois, tant pour ses héritiers que pour lui-même.
3. Introduction aux *Chroniques des comtes d'Anjou*, p. IV, sqq. Paris 1871.

précédé de deux entreprises analogues : la première a été tentée par Thomas de Loches qui a complété « de brèves chroniques dont le titre porte le nom de l'abbé Eudes (*breves chronicas, nomine Odonis abbatis intitulatas*) », la deuxième par Robin et Le Breton d'Amboise qui ont utilisé la même source. A laquelle de ces rédactions correspond celle du manuscrit 6218, la plus ancienne qui nous soit parvenue?

Mabille, dans son *Introduction* aux Chroniques des comtes d'Anjou, avait cru pouvoir identifier le texte du 6218 et ces « chroniques brèves », placées sous le nom de l'abbé Eudes et que Thomas de Loches aurait utilisées et complétées. Il a en outre attribué ces chroniques à Eudes, abbé de Marmoutier de 1124 à 1137. S'il en était ainsi, les prétentions de la maison d'Anjou seraient antérieures au règne de Henri II.

Mais Mabille s'est trompé. M. Louis Halphen a démontré en effet [1] que la rédaction du manuscrit 6218 était l'œuvre de Thomas de Loches, notaire et chapelain à la cour des comtes d'Anjou et prieur de N.-D. de Loches où il se retira en 1151 et où il mourut en 1168. M. L. Halphen se demande seulement si le texte de 6218 ne représente pas, au lieu de l'œuvre même de Thomas, une édition remaniée par Robin d'Amboise, qui aurait inséré

---

1. Etude sur les *Chroniques des comtes d'Anjou et des seigneurs d'Amboise*, Paris 1906.

dans le travail du prieur de Loches des éléments empruntés aux *Gesta Ambaziensium dominorum* qui le suivent dans le manuscrit.

En fait, cette dernière hypothèse paraît superflue. M. Louis Halphen a été en effet conduit à elle par l'idée préconçue que les trois textes qui sont réunis dans le 6218 et qui s'y lisent dans l'ordre suivant : *Liber de compositione castri Ambaziae, Cronica de gestis consulum Andegavorum, Gesta Ambaziensium dominorum* sont trois œuvres distinctes et indépendantes. Or il suffit de les lire sans préjugé pour constater qu'elles ne forment qu'un seul et même ouvrage. M. L. Halphen lui-même [1] avait été frappé de l'unité de style et d'expression qui règne d'un bout à l'autre du manuscrit 6218 : unité incompréhensible si l'on considère que les trois œuvres sont simplement juxtaposées. M. Halphen a essayé d'expliquer cette unité par l'intervention d'un même interpolateur, qui serait Robin d'Amboise. L'explication est manifestement insuffisante, car l'identité de style est constante et perceptible jusque dans le détail. Il est d'ailleurs aisé de discerner la conception qui a présidé à la rédaction de cet ouvrage en trois parties. L'auteur unique, Thomas, prieur de Loches, désireux de raconter l'histoire des seigneurs d'Amboise, ses voisins,

---

[1]. Introduction à l'édition des *Chroniques des comtes d'Anjou*, pp. LXVI-LXVIII.

qui fait l'objet de la troisième partie, les *Gesta Ambaziensium dominorum,* a voulu placer cette histoire locale dans son cadre national et régional. Il l'a donc fait précéder d'un résumé de l'histoire de la France depuis Jules César jusqu'au milieu du XIIe siècle (c'est l'objet essentiel du *Liber,* malgré son titre étroit), puis d'une histoire des comtes d'Anjou (c'est l'objet de la *Cronica*). Les imitateurs et amplificateurs de Thomas de Loches, Robin et Le Breton d'Amboise, dont l'œuvre, comme l'a montré M. Halphen, a été conservée dans le manuscrit 6006 de la Bibiothèque nationale, ont procédé exactement de la même façon. Ce n'est qu'avec Jean de Marmoutier, auteur d'une troisième version des *Gesta consulum Andegavorum* que ceux-ci sont devenus une œuvre indépendante.

En tout cas, le texte du manuscrit 6218, qu'il soit de Thomas de Loches ou de Robin d'Amboise, est postérieur à 1154. En effet, les *Gesta Ambaziensium dominorum* mentionnent le couronnement de Henri II à Westminster, qui eut lieu le 19 décembre 1154.

Nous ne serons donc pas surpris de retrouver dans le chapitre de la *Chronique* relatif à Geoffroi Grisegonelle, chapitre entièrement légendaire, une inspiration exactement parallèle à celle du *De senescalcia.* Ainsi, à la bataille imaginaire de Soissons contre les Danois, c'est Geoffroi qui porte l'enseigne du roi, *vexillum regis,* et qui la brandit face aux Danois, *in ora Danorum;* Geoffroi est appelé le « premier » de l'armée, *primipilaris;* c'est lui qui règle l'ordre de bataille; il agit en somme comme sénéchal de France. Le même chapitre de la *Chronique* nous montre l'intervention de Geoffroi dans l'exercice de la justice du royaume; dans un épisode aussi légendaire que le précédent, c'est Geoffroi Grisegonelle qui s'oppose en effet aux prétentions d'un certain Edelthed qui réclame la couronne de France comme héritier de Pharamond et de Clovis; c'est lui qui soutient victorieusement le duel judiciaire contre le champion d'Edelthed [1]. Les thèses de Thomas de Loches sont, on le voit, à très peu près, les mêmes que celles de Hugues de Clers. Remarquons aussi que dans la *Chronique* Geoffroi joue très précisément le rôle de gonfalonier et celui de champion de la couronne qu'assument dans *la Chanson de Roland* les deux frères Geoffroi et Tierri d'Anjou. Les trois textes ont été élaborés évidemment dans le même milieu.

Et ce ne furent sans doute pas les seuls. Il semble en effet que, autour des prétentions angevines, une action de propagande, comme on dit aujourd'hui, ait été organisée sur le plan littéraire. J'en trouve, pour ma part, une nouvelle manifestation

---

1. M. F. Lot avait cru trouver dans ces récits des réminiscences de chants épiques dont Geoffroi Grisegonelle aurait été le héros. En fait, Thomas de Loches a imaginé ces récits en s'inspirant des chansons de geste.

dans la Chanson de *Gaydon*[1]. Cette chanson raconte comment Gaydon, qui n'est autre que le Tierri qui provoqua et tua Pinabel en duel judiciaire et entraîna ainsi la condamnation de Ganelon, est poursuivi par la haine et la vengeance de la famille du traître, ce Tierri-Gaydon est duc d'Angers ; il est le fils de Geoffroi d'Anjou et non son frère comme dans le *Roland*. Accusé par Thiébaut d'Aspremont, frère de Ganelon, d'avoir tenté d'empoisonner Charlemagne, il tue son calomniateur en duel judiciaire mais n'échappe pas aux intrigues de la famille ennemie qui parvient à circonvenir l'empereur et à le séduire par des présents. Il se réfugie à Angers et lance un défi à Charlemagne, qui vient l'assiéger dans sa capitale ; mais le vieil empereur est finalement sauvé par lui, alors que les traîtres de la maison de Ganelon s'apprêtaient à l'enlever et à l'assassiner. Si bien que Gaydon est par Charlemagne fait quoi ? Grand sénéchal de France :

> 10822 Et je vos doinz, par fine druerie,
> De douce France la grand seneschaucie.

La charge de grand sénéchal est d'ailleurs pendant tout le poème un objet de brigue. Charlemagne la promet d'abord à Thiébaut d'Aspremont quand celui-ci accuse Gaydon et fait figure de champion de l'empereur :

---
1. Édition F. Guessard et S. Luce. Paris, 1862.

> 755 D'or en avant mes senechaus serois,
> Et l'oriflambe de France porterois.

Après la mort de Thiébaut, il la confie à un de ses parents, Aulori, un autre membre de la lignée de Ganelon :

> 4899 En l'avant garde fu li cuens Auloris ;
> L'enseigne porte le roi de Saint-Denis.

C'est finalement, on l'a vu, la maison d'Anjou qui l'emporte par ses mérites et ses vertus.

La Chanson de *Gaydon* nous est parvenue dans un texte du XIIIe siècle, fort long (10887 vers), écrit en laisses interminables, surchargé d'aventures et d'épisodes romanesques. Mais ce texte n'est manifestement qu'un renouvellement d'un poème antérieur. Et il n'est pas difficile de dire à quel moment celui-ci qui n'était déjà sans doute lui-même qu'un remaniement, a été composé. Le « duc » d'Angers, suzerain des seigneurs du Mans et de Nantes, parent de Richard de Normandie, assez puissant pour défier Charlemagne et lui tenir tête, qui parle de son « royaume » (v. 4119), grand sénéchal de France enfin, n'est évidemment que la préfiguration épique du Plantegenet, comte d'Anjou et du Maine, duc de Normandie, roi d'Angleterre, prétendant au comté de Nantes et à la grande sénéchaussée de France. Si l'on hésitait, un des derniers épisodes du poème achèverait de lever le doute. Gaydon est aimé et demandé en mariage par la belle Claresme, reine de Gascogne, qu'il finit par épouser; l'allusion au mariage d'Henri Plantegenet et d'Aliénor d'Aquitaine est ici transparente. L'œuvre fut donc écrite après 1152; elle le fut d'autre part avant 1158, car manifestement son auteur ne connaissait pas notre *Roland*. La tradition qu'il suit en ce qui concerne la bataille de Roncevaux se rapproche en effet beaucoup plus du récit du pseudo-Turpin que de celui de Turold : comme dans le faux *Turpin*, par exemple, Tierri-Gaydon a participé à la bataille, s'est trouvé aux côtés de Roland au moment de sa mort, et en a porté lui-même la nouvelle à Charlemagne [1]. Une version du *Gaydon* fut donc écrite pendant les premières années du règne d'Henri II, version destinée, elle aussi, comme le *De senescalcia*, comme la Chronique des comtes d'Anjou et comme la version d'Oxford du *Roland* à exalter la grandeur et l'antiquité de la maison d'Anjou et ses titres à la dignité de grand sénéchal de France.

Ces digressions critiques, ces discussions de textes, un peu longues peut-être, étaient indispensables. Elles ont apporté la précision cherchée. C'est entre 1154 et 1158, au moment où s'épanouissait la grandeur de l'empire angevin, où s'élaboraient les grandes ambitions d'Henri II Plantegenet, que s'est formée la légende de Geoffroi Grisegonelle fait à titre héréditaire sénéchal de France et gon-

---

[1]. Certains détails cependant, comme la rupture des veines de Roland, évoquent le texte de Turold. Mais ils peuvent avoir été ajoutés par le dernier remanieur, celui du XIIIe siècle.

falonier du roi. C'est entre ces mêmes dates qu'est née la personnalité épique de

> Gefreid d'Anjou, le rei gunfanuner

devenu, comme son fils Gaydon, par la vertu de la poésie, le contemporain de Charlemagne.

A ce moment, la maison d'Anjou arrive au faîte de sa puissance. Elle règne en Angleterre et domine le royaume de France. A certains égards, elle fait encore cependant un peu figure de parvenue. Elle a hâte d'établir ses titres de noblesse. Thomas de Loches compose sa chronique. Un trouvère inconnu écrit ou récrit la Chanson de *Gaydon*. Hugues de Clers prépare son traité. C'est dans ce milieu, dans cette ambiance qu'un poète, un remanieur va entreprendre de rajeunir, de compléter, de mettre au goût du jour la chanson qui exaltait les exploits et la mort à Roncevaux de Roland et de ses compagnons. La vieille légende est encore populaire. Le vieux poème est toujours célèbre. Admirable véhicule pour la propagande angevine! Quelques insertions adroites dans l'ancienne trame vont faire d'un Geoffroi d'Anjou un héros d'épopée, le fidèle, le compagnon, le gonfalonier du grand empereur. Et la version anglo-angevine, notre version d'Oxford de *la Chanson de Roland* voit le jour, quelque part en France ou en Angleterre, pour la plus grande gloire du Plantegenet.

L'analyse littéraire du texte oxfordien nous

avait amenés jusqu'au seuil de la seconde moitié du XIIIe siècle. L'analyse historique nous invite à placer son élaboration autour de l'année 1158. Mais cette date est-elle possible ? N'est-elle pas exclue notamment par celle qui est assignée au *Ruolandes liet*, à la traduction du prêtre Konrad : 1131-1132 ? Je ne le crois pas, car cette date « solidement établie », suivant l'expression même de J. Bédier [1], par E. Schroeder dans sa préface à l'édition de la *Kaiserkronik* [2], me paraît avoir été victorieusement écartée par Martin Lintzel dans son étude *Zur Datierung des deutschen Rolandsliedes* [3]. Schroeder identifiait le prêtre Konrad et l'ecclésiastique de Ratisbonne qui composa un peu avant 1150 la *Kaiserkronik*; il considérait que la parenté d'expressions que l'on relève entre certains passages de la *Kaiserkronik* et du *Ruolandes liet* s'expliquait par cette identité et que la première dérivait du second.

Il est inutile d'entrer ici dans le détail de la discussion philologique par laquelle Martin Lintzel s'attache à démontrer en comparant le *Ruolandes liet* avec la *Kaiserkronik* et avec les diverses versions de l'*Alexanderlied*, que le prêtre Konrad a purement et simplement plagié la *Kaiserkronik*. Ses arguments d'ordre historique suffisent et me

---
1. *Commentaires*, p. 40.
2. *Monumenta Germaniæ historica, deutsche Chroniken*, t. I, 1892.
3. *Zeitschrift für deutsche Philologie*, t. 51, 1926.

paraissent décisifs ; les voici. Dans l'épilogue du *Ruolandes liet,* le prêtre Konrad déclare que le livre qu'il a traduit a été commandé à l'étranger par le duc Henri, à la demande de la duchesse « née d'un roi puissant ». M. Lintzel pense que le duc Henri est Henri le Lion (1154-1180) et non Henri le Superbe (1126-1138) et que la duchesse est non pas Gertrude, fille de Lothaire, roi et empereur, épousée par le second en 1127, mais Mathilde, fille d'Henri II, roi d'Angleterre, épousée par le premier en 1168. M. Lintzel estime, en effet, avec raison, que dans un texte allemand qui aurait été écrit sous le règne de Lothaire, l'expression « un roi puissant » avec l'article indéfini ne saurait désigner le souverain national. La duchesse ne peut donc pas être la fille de Lothaire. L'épilogue du *Ruolandes liet* dit encore que le duc Henri a protégé les chrétiens et converti les païens. Or Henri le Superbe a bien combattu les Sarrasins en Italie méridionale, mais seulement en 1136-37, quelques années après la date présumée de la composition du poème ; en tout cas, il n'a jamais converti de païen. Henri le Lion au contraire a combattu et converti les Slaves païens de l'Est. Troisième argument enfin qui n'est pas le moins pertinent. Gertrude était une princesse saxonne sans culture, âgée de quinze ans seulement en 1130. Pour quelle raison aurait-elle demandé à son époux de faire venir le texte français de *la Chanson de Roland* ? Sans doute la duchesse Mathilde n'avait que quatorze ans en 1170. Mais elle était d'origine française et le livre qu'elle réclamait était en outre, si l'on admet notre thèse, un ouvrage où l'on chantait la gloire de ses ancêtres. Pour ma part, je crois donc, après M. Lintzel, que le *Ruolandes liet* a dû être composé aux environs de 1170 et non en 1131-1132,

Rien ne s'oppose plus à ce que notre *Chanson de Roland* ait été écrite sur le territoire de l'empire anglo-angevin pendant les premières années du règne de Henri II Plantegenet. J'ajoute que d'autres indices confirment cette hypothèse. Et j'accorde volontiers pour ma part une grande valeur probante à l'énumération que fait Roland des terres conquises par lui pour Charlemagne. Il va mourir et s'adresse à Durendal qu'il ne peut briser :

2322 Jo l'en cunquis e Anjou e Bretaigne,
Si l'en cunquis e Peitou e le Maine,
Jo l'en cunquis Normendie la franche,
Si l'en cunquis Provence e Equitaigne
E Lumbardie e trestute Romaine ;
Jo l'en cunquis Baiver e tute Flandres
E Burguigne e trestute Puillanie,
Costentinnoble, dunt il out la fiance,
E en Saisonie fait il ço qu'il demandet ;
Jo l'en cunquis e Escoce e (Vales islonde) [1]
E Engletere, que il teneit sa cambre...

---

1. Au vers 2331, il faut rétablir *in fine* Irlande réclamée par l'assonance, après l'Ecosse et le pays de Galles.

Cette liste est tout à fait remarquable. Si l'on fait abstraction en effet des cinq vers (2326-2330) placés au centre de l'énumération, où figurent les parties germaniques, italiennes et orientales de l'empire carolingien de l'épopée, et qui représentent sans doute un noyau ancien respecté par le remanieur, que reste-t-il ? L'inventaire complet, détaillé, méthodique des territoires de l'Etat anglo-angevin vers l'année 1159, inventaire si exact qu'il tient même compte des prétentions du duc d'Aquitaine qui revendiquait un droit de suzeraineté sur les possessions des comtes de Toulouse, marquis de Provence.

Les deux derniers vers en tout cas ne peuvent laisser aucun doute sur la date à laquelle ils furent écrits. Le vers 2331 nous donne un excellent résumé de la politique insulaire de Henri II au cours des premières années de son règne : dès 1155, poussé par son entourage cistercien, il propose au pape Adrien IV d'aller conquérir l'Irlande afin de la réformer et il réunit une grande assemblée à Winchester pour faire part aux barons de son projet de conquête de l'île voisine; en 1157 il pénètre dans le pays de Galles; la même année il contraint Malcolm, roi d'Ecosse, à lui faire hommage. Quant au vers 2332, il n'a de sens que par rapport à l'empire angevin. Dans toutes ses possessions continentales, Henri II n'était en effet que vassal, vassal du roi de France; l'Angleterre au contraire relevait directement de lui, de lui seul; c'était sa « cambre », au sens propre, technique du terme.

Autre indice : au vers 2883, le poète énumère :

> Gefrei d'Anjou e sun frere Henri.

Tous les éditeurs corrigent ce vers et remplacent Henri par Tierri. Tierri, champion de Charlemagne, dans le plaid de Ganelon, nous est en effet donné comme frère de Geoffroi d'Anjou. Et J. Bédier, d'ordinaire si conservateur, se laisse lui-même tenter par la correction [1]. Erreur manifeste. Rien de plus révélateur au contraire que cette association fraternelle des deux noms de Geoffroi et d'Henri. A partir du mariage de Geoffroi le Bel, comte d'Anjou, avec Mathilde, fille d'Henri Ier Beauclerc roi d'Angleterre et duc de Normandie, ces deux noms ont pendant un demi-siècle été étroitement associés dans la famille des Plantegenet. Henri II avait un frère cadet qui s'appelait Geoffroi. Il donna lui-même le nom d'Henri à son second fils et celui de Geoffroi à son quatrième. Ne corrigeons donc pas Henri en Tierri; tirons seulement de la présence du nom d'Henri la conclusion qui s'impose : notre remanieur écrivait en un temps, en un milieu où les noms de Geoffroi et d'Henri étaient étroitement associés.

---

1. *Commentaires*, p. 192.

Quant à l'intervention de Tierri, promu pour la circonstance à la dignité de prince angevin et de frère de Monseigneur Geoffroi, dans le procès de Ganelon, elle mérite, elle aussi, d'être confrontée avec les prétentions angevines formulées au temps d'Henri II. Ce Tierri que nous retrouvons dans le *pseudo-Turpin* n'avait, en effet, à l'origine rien à voir avec la maison d'Anjou et n'est devenu Angevin que pour les besoins de la cause. Or reportons-nous au traité de Hugues de Clers et aux prérogatives judiciaires qui y sont réclamées pour cette maison. Nous constatons que son auteur y demandait pour la cour comtale le droit de réformer les jugements rendus par les tribunaux du roi, de juger dans le royaume en dernier ressort. Relisons maintenant le plaid du traître dans la *Chanson*. Les barons ont tenu conseil, rendu leur jugement; ils demandent au roi de proclamer quitte le comte Ganelon. Alors vient devant Charlemagne désespéré Tierri l'Angevin :

3824   Bels sire reis, ne vos dementez si!
        Ja savez vos que mult vos ai servit [1].
        Par anceisurs dei jo tel plaid tenir.

Sur quoi Tierri prononce un bref discours pour motiver sa sentence, puis prononce le jugement :

---

1.   Beau sire roi, ne vous plaignez ainsi.
      Vous savez que déjà je vous ai bien servi.

3831   Pur ço le juz jo a pendre et a murir
. . . .
S'or ad parent ki m'en voeille desmentir
A ceste espee, que jo ai ceinte ici,
Mun jugement voel sempres guarantir [1].

Les commentateurs, J. Bédier notamment [2], ont relevé dans ce procès quelques anomalies de procédure. Ils n'ont pas, à ma connaissance, mentionné la plus significative : Tierri l'Angevin n'intervient devant le roi que lorsque la cour des barons a déjà rendu sa sentence d'acquittement. A ce moment, un second procès commence, qui sera tranché par le duel Pinabel-Tierri. Ce dernier ne se présente en somme que pour réformer, lui l'Angevin, un jugement rendu par la cour royale. Mais n'est-ce pas précisément la procédure prévue et revendiquée par le *De majoratu et senescalcia Franciae* ? Et comment en douter, puisque la même revendication est explicitement, clairement formulée dans la *Chanson* elle-même ? Le vers 3826 plus haut cité fait en effet dire à Tierri :

Par anceisurs dei jo tel plaid tenir.

Le passage a embarrassé les traducteurs. Après avoir hésité, J. Bédier s'est résigné à cette traduc-

---
1. Pour ce je le condamne à mourir par la hart.
S'il a quelque parent qui me veut démentir,
Par cette épée que j'ai à ma ceinture
Je veux toujours garantir ma sentence.
2. *Commentaires*, p. 317 sqq.

tion vague, obscure et un peu insignifiante : « Pour mes ancêtres, je dois parler comme voici. » Avant lui Léon Gautier avait écrit : « Par mes ancêtres, j'ai droit à siéger parmi les juges de ce procès. » Revendication qui n'a aucun sens à cette place, puisque Tierri vient de siéger déjà au conseil des barons. Je crois qu'il faut tout simplement traduire : « En raison de mes ancêtres, je dois tenir un tel plaid. » Quant au sens il est clair : de mes ancêtres angevins je tiens le droit d'être saisi en appel de ce procès et de prononcer ma sentence. C'est la thèse même de Hugues de Clers.

Je conclus donc que c'est vers le temps où le sénéchal de la Flèche et de Beaugé écrivait son petit traité nourri de prétentions et d'impostures, où Thomas de Loches composait la vie légendaire de Geoffroi Grisegonelle, que Turold, de son côté, remaniait *la Chanson de Roland* en s'efforçant de collaborer lui aussi, de son mieux, à la grandeur des Plantegenet. En même temps, il contribuait, par une coïncidence digne de remarque, à la diffusion des thèses cisterciennes exposées dans la *Geste Francor*, ce qui ne saurait surprendre, car Henri II avait un entourage cistercien. Je vois donc notre auteur sous les traits d'un clerc venu des terres de Loire ou de Normandie et exilé dans quelque monastère cistercien d'Angleterre. Cette évocation m'aide à comprendre son insistance nostalgique à évoquer la douce France, la terre des pères, la *tere major*. Dans des conditions analogues, quatre siècles plus tard, Joachim du Bellay devait, lui aussi, chanter la douceur angevine. Ainsi se rejoignent les anneaux de la chaîne de notre poésie.

V

LA PREMIÈRE *CHANSON DE ROLAND*

Donc notre vénérable *Chanson de Roland,* celle du manuscrit d'Oxford, celle que nous nous plaisions à considérer comme la plus vieille de nos chansons de geste, parce que la plus belle, ne nous apparaît plus que comme un remaniement tardif d'une chanson plus ancienne, beaucoup plus ancienne même vraisemblablement. Car elle ne fut sans doute choisie pour être le véhicule des ambitions du Plantegenet que parce qu'elle était déjà depuis longtemps vénérable et populaire. Le goût des antiquités tient lieu de noblesse aux parvenus.

Comme on suit dans le désert une ligne d'eau souterraine par les puits qui la jalonnent, on s'est déjà efforcé, dans le silence des documents, en notant les allusions à la légende de Roncevaux, en épiant les échos qu'elle a pu éveiller, de remonter de décade en décade à la source même de notre *Chanson.* M. Robert Fawtier notamment s'est attaché[1] à relever scrupuleusement les repères hélas! trop rares, que l'on a pu déceler dans les textes, du XIIe et du XIe siècles. Refaisons la route après lui, en nous efforçant de compléter son information.

Raoul de Caen compose ses *Gesta Tancredi* entre 1112 et 1118. Dans son récit versifié de la bataille de Dorylée, il met en scène Robert de Flandre et Hugues de Vermandois, et les compare à Roland et à Olivier : « On dirait Roland et Olivier ressuscités, à les voir frapper en furieux, l'un de la lance et l'autre de l'épée. »[1]. L'allusion est évidente à deux passages précis de *la Chanson de Roland* : le petit discours où Roland dit à son ami Olivier :

1120   Fier de ta lance e jo de Durendal,

et l'épisode (laisses 105 et 106) où l'on voit les deux amis combattre, l'un Durendal à la main, l'autre avec sa lance déjà rompue. Raoul de Caen pouvait donc déjà lire un poème dont le texte a été suivi de près par le remanieur de 1158.

Presque contemporain de Raoul de Caen, un moine de Saint-Benoît-sur-Loire, Raoul le Tourtier chantant dans une épître latine les amitiés célèbres et notamment celle d'Amis et d'Amile, autres héros de chansons de geste, fait intervenir dans un récit l'épée de Roland venue après la mort du héros aux mains de Gaifier d'Aquitaine.

---

1. *Hist. des Croisades, occid.*, t. III, p. 627.

Et notre versificateur précise que Roland l'avait reçue de son oncle Charlemagne et s'en est servi pour tuer des milliers de païens. Raoul le Tourtier devait lui aussi connaître une *Chanson de Roland* où il était dit, comme dans la nôtre, que Charlemagne avait donné Durendal à son neveu.

Orderic Vital racontant la mort de Robert Guiscard en 1085 le fait sur son lit de mort parler en ces termes de son fils absent Bohémond : « Et toi Bohémond, noble athlète, égal en chevalerie au Thessalien Achille et au Français Roland, es-tu encore vivant ? » Donc, pour Orderic Vital, Roland était, comme Achille, un héros d'épopée. Sans doute écrivait-il le VIIe livre de son *Histoire ecclésiastique* où se trouve ce passage en 1135. Mais il est difficile d'imaginer qu'Orderic Vital, qui est généralement bien informé, et qu'Auguste Molinier considère comme le meilleur historien français du XIIe siècle, ait pu prêter un tel discours à Robert Guiscard si, en 1085, quelque *Chanson de Roland* n'avait pas déjà existé. Orderic Vital était né en 1075, et la lecture de son ouvrage montre qu'il était fort au courant de la production littéraire de son temps.

Nous avons d'autres raisons de croire que dès la fin du XIe siècle, Roland et Olivier étaient des héros littéraires aimés et populaires dans toute la France. Entre 1082 et 1106, Gérard de Montalais fait aux moines de Saint-Aubin-d'Angers une donation pour le repos de l'âme de sa mère. Ses deux fils l'ont autorisé à ce faire; ils s'appelaient Roland et Olivier. Vers la même date, bien loin de l'Anjou, en Bigorre, le 14 octobre 1096, on consacre une église à Saint-Pé-de-Géneres; on rédige une charte à cette occasion que signent nombre de chevaliers gascons et parmi eux les deux frères d'Arboucave, Roland et Olivier. Ainsi vers 1075, en deux points fort éloignés du royaume, les familles donnaient à leurs fils les noms des deux protagonistes de la bataille épique de Roncevaux [1].

On a beaucoup discuté et généralement rejeté le témoignage de Guillaume de Malmesbury qui raconte dans son *De Gestis Anglorum,* publié en 1125, les préliminaires de la bataile de Hastings en 1066. « Le comte, le visage serein, proclame à voix claire que sa cause étant juste aura l'appui de Dieu; il demande ses armes et, le voilà qui, à cause de la hâte des serviteurs, met son haubert à l'envers; il rectifie l'erreur en riant et ajoute : « ainsi le courage va retourner mon comté en « royaume. » Puis, on entonne *la Chanson de Roland* pour que l'exemple d'un vaillant guerrier enflamme ceux qui vont combattre; on crie : « Dieu aide »; et la bataille s'engage. » A ce récit on a opposé le silence des contemporains, de Guil-

---

[1]. On peut voir au musée de Limoges de grossières sculptures provenant de Notre-Dame de la Règle, chapelle édifiée vers la fin du XIe siècle Ces sculptures représentent bien, semble-t-il, des épisodes de la bataille de Roncevaux.

laume de Poitiers, de Guillaume de Jumièges et même de Gui de Ponthieu qui mentionne cependant dans son *Carmen de Hastingue praelio* le jongleur Taillefer lequel, chevauchant devant les escadrons normands, *hortatur Gallos verbis*. Le silence n'est pas une condamnation. Guillaume de Malmesbury sans doute aimait trop les légendes et les récits pittoresques. Mais il avait certainement connu des témoins de l'affaire de 1066. Il est donc dificile de rejeter purement et simplement son affirmation. De toute manière, Guillaume de Malmesbury était un lettré et un érudit qui enrichit là bibliothèque de son monastère. Or il importe peu que *la Chanson de Roland* ait été chantée dans le camp normand en 1066 ; ce qui est essentiel, c'est que ce lettré, cet érudit ait affirmé qu'une *Chanson de Roland* existait à cette date-là Ce témoignage me paraît, je l'avoue, impossible à récuser. Imagine-t-on un historien. même superficiel et distrait, écrivant vers 1930 et parlant d'une représentation de *Cyrano de Bergerac* pendant le siège de Paris ? Entre la conquête de l'Angleterre et le moment où écrivait Guillaume de Malmelsbury, il ne s'est guère écoulé plus d'un demi-siècle. *Breve aevi spatium!*

Ce qui rend vraisemblable l'anecdote de Guillaume de Malmesbury c'est la popularité certaine des figures de Roland et d'Olivier dans tout le monde normand, vers le temps de l'expédition de Guillaume le Conquérant. Cette popularité se retrouve jusqu'en Sicile. Il existait en effet dans l'île, au témoignage de Godefroi de Viterbe[1], témoignage qui n'a pas à ma connaissance été relevé jusqu'ici, deux montagnes dont l'une s'appelait Roland et l'autre Olivier. Ces deux montagnes auraient été ainsi baptisées au temps de la conquête normande, c'est-à-dire à une époque voisine de la bataille de Hastings.

> Mons ibi stat magnus qui dicitur esse Rolandus,
> Alter Oliverius, simili ratione vocatus.
> Hec memoranda truces constituere duces [2]

Les ducs farouches dont il est ici question ne peuvent être que les deux conquérants de la Sicile, le comte Roger et le duc Robert Guiscard et la période visée ne peut guère s'écarter de l'année 1071, date de la prise de Palerme.

On peut considérer comme établi qu'il existait dans la seconde moitié du XIe siècle une chanson de geste qui célébrait les exploits de Roland et d'Olivier, un poème extraordinairement populaire, puisque nous trouvons sa trace en Normandie, en Anjou, en Gascogne et jusqu'en Sicile. Est-il possible de remonter plus haut ? M. Ferdinant Lot a fait remarquer que Adémar de Chabannes écrivant aux environs de l'année 1030 affirme que Char-

---

1. *Panthéon, Mon. Germ. Hist. SS*, t. XXII, p. 223.
2. Une haute montagne se dresse là qui porte le nom de Roland. Une autre, baptisée par la même méthode, porte celui d'Olivier. Ce sont les ducs farouches qui ont voulu rappeler ces gloires.

ET L'HISTOIRE DE FRANCE

lemagne tint en son pouvoir toute la terre, depuis le mont Gargano en Italie jusqu'à Cordoue en Espagne. Il s'est demandé si cette dernière indication ne proviendrait pas de *la Chanson de Roland* :

> 70 Seignurs barons a Carlemagnes irez
> Il est al sieges a Cordres la citet.

L'indication est bien fragile. Il n'est pas certain en effet que Cordres soit Cordoue. Il n'est pas impossible surtout que la mention de Cordres ait été introduite par un remanieur. Dans le *Carmen de prodicione Guenonis,* la ville qu'assiège et prend Charlemagne s'appelle non pas Cordres, mais Morinde. Or, je crois, pour ma part, que le *Carmen* représente un état de la tradition plus ancien que le texte de la version d'Oxford. Dans tous les cas, il y a doute [1]

Mais il est un texte, déjà mentionné incidemment par M. P. Boissonnade [2], dont M. Fawtier, je ne sais pourquoi, n'a pas fait état [3], qui semble bien prouver que dès le premier tiers du XIe siècle, Roland et Olivier faisaient figure de héros populaires. Il s'agit d'une charte de Saint-Victor-de-Marseille, datée de 1055 où l'on voit un cer-

---

[1]. Nous avons jugé superflu de donner les références pour les textes cités ci-dessus, fort connus de tous les romanistes. On trouvera ces références dans J. BÉDIER, *Commentaires,* et R. FAWTIER. *op. cit.*

[2]. *Op. cit.,* p. 371.

[3]. Il ne mentionne pas non plus le texte de Godefroi de Viterbe.

tain Josceranus donner une terre en présence de deux témoins qui s'appellent Roland et Olivier. Ainsi, vingt ans plus tôt, au moins, la gloire des deux preux morts ensemble à Roncevaux était assez grande à Marseille, hors des limites du royaume de France, hors du domaine de la langue française, pour dicter à des parents le nom de leurs enfants. Ce qui permet de penser qu'aux environs de l'an 1030, le poème qui chantait Roland et Olivier devait avoir fourni déjà une assez longue carrière.

Ainsi, d'étape en étape, nous voici conduits à assigner une date voisine de l'an 1000 à la première *Chanson de Roland,* qui devient contemporaine du *Fragment de la Haye,* du *Saint Alexis* et du *Waltharius,* cette épopée latine du Xe siècle, dont la parenté possible avec le *Roland* a été récemment encore signalée et étudiée [1]. Cette chanson primitive s'est fondue dans les remaniements postérieurs et il serait tout à fait vain de vouloir la reconstituer autrement que par la pensée. Mais si modifiée, si transformée qu'elle nous soit parvenue, il serait miraculeux que les remanieurs aient complètement effacé tous les traits du visage premier de l'œuvre. Si donc l'hypothèse à laquelle nous avons abouti correspond à quelque réalité, il doit être possible de retrouver dans les versions

---

[1]. Maurice Wilmotte, *l'Epopée française,* et Chiri, *l'Epica latina medievale e la Chanson de Roland,* 1936

postérieures et singulièrement dans celle d'Oxford des vestiges de la version mère, des échos du chant originel.

Cette recherche des archaïsmes a déjà été tentée non sans résultat. C'est M. Ferdinant Lot [1] qui, je crois, a mis en lumière les plus significatifs. Avec beaucoup de sagacité, il relève, dans le passage où sont décrits les prodiges qui accompagnent la mort de Roland, la délimitation des terres du pays de France :

> De seint Michel del Peril jusqu'a Senz,
> Des Besençun tresqu'al port de Guitsand.

Les deux diagonales que trace ainsi le poète, du mont Saint-Michel jusqu'à Xanten, près de Cologne, et de Besançon à Wissant près de Boulogne déterminent fort exactement les régions que les derniers Carolingiens, de Charles le Simple à Louis V, ont toujours considérées comme leur véritable domaine, malgré l'incorporation de la Lorraine à l'empire. Au Xe siècle, le cœur politique de ces territoires battait à Laon, capitale royale de 936 à 987 et, avec Charles de Lorraine, de 988 à 991, dernier réduit de la résistance du parti carolingien à « l'usurpation » de Hugues Capet. Or Laon joue précisément avec Aix-la-Chapelle le rôle de capitale dans *la Chanson de Roland*. On

---

1. *Romania*, t. LIII, 1926.

peut ajouter que cette dualité elle-même n'est pas sans signification, car Laon et Aix étaient, simultanément, à la fin du Xe siècle deux centres carolingiens. Tandis que Lothaire régnait à Laon, son frère Charles avait été en effet, en 977, fait par Otton II duc de Basse-Lorraine. L'empereur désirait évidemment par cette nomination s'opposer aux revendications de Lothaire et canaliser à son profit la popularité incontestable de la dynastie carolingienne en pays lorrain. Charles, puis son fils Otton gouvernèrent effectivement le duché de Basse-Lorraine pendant plus d'un tiers de siècle, de 977 aux environs de 1015.

Les remarques de M. Ferdinand Lot sont fort pertinentes. A quoi M. Robert Fawtier ajoute celle-ci qui n'est pas sans valeur : lorsque Roland a été désigné pour commander l'arrière-garde, comment Charlemagne l'investit-il de son commandement? En lui confiant son arc :

> 766 Dreiz emperere, dist Rollant le barun,
> Dunez mei l'arc que vos tenez el poign.
> ....
> 782 Li reis li dunet e Rollant l'a reçut.

Il y a là un trait d'un archaïsme certain et M. Fawtier fait observer avec raison que le morceau est inconcevable au XIIe siècle. Nous ferons remarquer qu'en revanche il est tout à fait plausible à la fin du Xe siècle ou au début du XIe siècle. A ce moment en effet l'arc faisait encore partie de l'armement du chevalier. Nous en avons un témoignage précis, celui d'Adalbéron ou Ascelin, évêque de Laon, qui dans son poème satirique *Carmen ad Rodbertum regem*, écrit en 1011 ou 1012, décrit ainsi le moine de Cluny armé en chevalier : « Sa longue robe est écourtée et tombe à peine jusqu'aux jambes ; il l'a fendue par-devant et par-derrière ; ses flancs sont ceints d'un baudrier étroit et peint ; une foule de choses de toute espèce pendent à sa ceinture ; on y voit *un arc et son carquois*, des tenailles, un marteau, une épée... »

On objectera peut-être que ces indications sont vagues. J'en conviens. Mais je crois que les archaïsmes relevés par MM. Lot et Fawtier ne sont pas les seules raisons que l'on puisse invoquer pour faire remonter jusqu'aux environs de la fin du Xe siècle la plus ancienne rédaction de *la Chanson de Roland*. Reportons-nous aux manifestations du deuil de la nature au moment où le preux va mourir : tempête, foudre, tremblement de terre, éclipse de soleil :

1434   Dient plusor : « Ço est li definement,
       La fin del secle ki nus est en present. »

Or, à quelle époque la croyance à la consommation des temps a-t-elle été universellement répandue ? A quel moment, si nous en croyons Raoul Glaber, tous les événements anormaux : éruptions, incendies, pestes, intempéries, famines ont-ils été interprétés comme des signes de la fin du monde ? Précisément autour de l'an mille.

Une autre indication, fort précise celle-là, nous reporte aux dernières années du Xe siècle, c'est celle qui concerne la mort du patriarche de Jérusalem tué dans l'église du Saint-Sépulcre, que les gens du moyen âge ont souvent confondu avec le Temple :

> 1562 D'altre part est un paien, Valdabrun
> ....
> Jerusalem prist ja par traïsun
> Si violat le temple Salomon,
> Le patriarche ocist devant les funs.

J. Bédier a vu dans ce texte une allusion aux persécutions de l'an 1010, au cours desquelles, d'après Adémar de Chabannes, aurait péri le patriarche [1]. En fait, le patriarche ne fut nullement tué en 1010. Ces vers constituent cependant une réminiscence historique certaine ; mais ils évoquent non les événements de 1010, mais ceux qui survinrent à Jérusalem en 966. Cette année-là, des troubles éclatèrent dans la ville sainte à la nouvelle des victoires de Nicéphore Phocas en Syrie ; la basilique de Constantin et l'église de la Résurrection ou du Saint-Sépulcre furent gravement endommagées et le patriarche Jean fut massacré le 29 mai 966.

Le poète du premier *Roland* aurait donc écrit

---

1. *Commentaires*, p. 305.

sous l'impression des événements de la seconde moitié du xe siècle. Et, en effet, il est difficile de ne pas être frappé par d'autres coïncidences. Et d'abord par celle qui concerne le sujet lui-même. Car ce thème de la bataille dans un défilé de montagne a un précédent littéraire qui date précisément de la fin du xe siècle, celui du *Waltharius* où l'on voit le héros revenant d'exil, attaqué lui aussi, par trahison, dans les défilés des Vosges au moment où il aborde la terre de la patrie. Il a même un précédent historique qui a pu servir d'aliment à l'imagination des poètes. Il s'agit d'un beau fait d'armes du roi Lothaire, prince énergique et guerrier.

En novembre 984, Lothaire conclut une alliance avec Henri de Bavière, lequel se préparait à disputer la couronne à Otton III qui, à peine âgé de trois ans, avait été proclamé l'année précédente roi de Germanie. Lothaire promettait de soutenir Henri; celui-ci s'engageait à céder la Lorraine à Lothaire. L'alliance devait être scellée le 1er février 985 à Brisach, sur le Rhin. Lothaire avec son armée fut exact au rendez-vous, où Henri de Bavière ne vint pas. C'est au cours de son retour qu'eut lieu l'incident en question. En voici le récit que nous empruntons à M. Ferdinand Lot[1] :

« Le passage de l'armée avait excité l'inquiétude et la colère des montagnards des Vosges.

---

1. *Les derniers Carolingiens*, p. 144.

Excités probablement par Godefroi de Verdun, ils s'étaient promis de ne pas laisser les Français traverser une seconde fois leur pays. Aussi quand Lothaire revint sur ses pas, il trouva les défilés (sans doute le col de la Schlucht) impraticables, encombrés d'arbres renversés, coupés par des fossés. La mauvaise saison (on était en février), contribuait à rendre la situation critique. Quand l'armée se fut engagée dans les vallées, les Vosgiens l'attaquèrent de tous côtés et firent pleuvoir d'en haut une grêle de traits. La cavalerie était impuissante contre cette tactique. Lothaire sauva l'armée par une mesure heureuse. Il fit déloger l'ennemi des hauteurs par l'infanterie légère. Pendant ce temps, le gros de l'armée pouvait défiler dans la vallée; ayant ses flancs protégés, il ne lui restait plus qu'à combattre de front et à écarter les obstacles. Lothaire renouvela trois fois cette manœuvre et put enfin échapper, mais non sans peine. »

La situation, on le reconnaitra, n'est pas sans analogie avec celle de 778 dans les ports pyrénéens. J'incline, pour ma part, à penser que l'événement de février 985 a inspiré l'auteur du *Waltharius* et a pu donner un regain d'actualité au souvenir lointain, mais toujours vivant sur la route de Saint-Jacques du drame de Roncevaux.

Je le pense d'autant plus volontiers que l'affaire de 985 n'est peut-être pas la seule dont nous retrouvions la trace dans le *Roland*. En octobre 978,

Otton II, désireux de venger l'humiliation que lui avait, le printemps précédent, infligé le roi Lothaire, qui, attaquant Aix-la-Chapelle à l'improviste, avait obligé l'empereur à s'enfuir précipitamment, envahit le nord de la France avec une armée de soixante mille hommes. Il arriva devant Paris, campa entre Montmartre et la Seine, mais ne put forcer le passage du fleuve. Fin novembre il se décida à la retraite. Celle-ci se changea bientôt en fuite précipitée. Poursuivi par Lothaire, il arriva un soir de décembre sur les bords de l'Aisne. Pressé par les troupes françaises, Otton fit franchir en hâte le fleuve grossi par les pluies d'automne à une partie de son armée. Mais le lendemain matin Lothaire écrasait l'arrière-garde; les Impériaux qui essayèrent d'échapper au massacre se noyèrent dans la rivière gonflée par la crue. Les chroniqueurs du XIe siècle sont naturellement partagés sur l'étendue de la défaite. Les *Gesta episcoporum Cameracensium* favorables à la cause impériale prétendent que l'arrière-garde d'Otton ne comportait que les valets et les bagages; thèse absurde car, de tout temps, ce sont les meilleures troupes qui ont composé l'arrière-garde d'une armée en retraite. L'*Historia Francorum Senonensis* au contraire, rédigée par un partisan attardé des Carolingiens, raconte « que les ennemis entrèrent dans le lit du fleuve, manquèrent le gué et périrent là en très grand nombre... en si grand nombre que l'eau était emplie de cadavres ».

Reportons-nous maintenant à *la Chanson de Roland*. Charlemagne poursuit l'armée de Marsile qui fuit vers Saragosse :

> 2465 L'ewe de Sebre, el lur est dedevant ;
> Mult est parfunde, merveilluse e curant ;
> Il nen i ad barge, ne drodmund, ne caland.
> Paiens recleiment un lur deu Tervagant,
> Puis saillent enz, mais il n'i en unt guarant,
> Li adubez en sunt li plus pesant,
> Envers les funz s'en turnerent alquanz ;
> Li altre en vunt cuntreval flotant ;
> Li miez guariz en unt boüd itant
> Tuz sunt neiez par merveillus ahan [1].

Le tableau est vivant, pittoresque et narquois. Il est tel qu'a pu le brosser devant notre poète un ancien soldat de l'armée de Lothaire, évoquant avec des éclats de gaieté la poursuite de l'armée d'Otton, la crue de l'Aisne, les soldats ennemis sautant dans l'eau, les plus lourdement équipés coulant et les plus heureux « buvant un bon coup ».

Mais, au vrai, le poète du premier *Roland* ne

---

1. Le cours de l'Ebre est devant les fuyards ;
    L'eau est profonde, terrible le courant ;
    Aucune barque, ni dromon, ni chaland.
    Les païens invoquent leur dieu Tervagant,
    Puis font le saut, mais nul secours ne vient.
    Les chevaliers qui sont les plus pesants
    Jusques au fond coulent pour la plupart.
    Les autres flottent en suivant le courant.
    Les plus heureux y boivent rudement.
    Tous sont enfin noyés cruellement.

nous a-t-il pas indiqué lui-même, discrètement mais clairement, qu'il se plaçait au moment où s'éteignait la dynastie carolingienne ? Je songe au discours d'allure vraiment épique que Marsile tient à Ganelon quand il veut l'apaiser et le gagner :

> 520 Co dist Marsilies : « Guenes, par veir sacez,
> En talant ai que mult vos voeill amer.
> De Carlemagne vos voeill oïr parler.
> Il est mult vielz, si ad sun tens uset ;
> Men escient dous cenz anz ad passet. »
> ....
> Dist li paiens . « Mult me puis merveiller
> De Carlemagne, ki est canuz e vielz !
> Men escientre dous cenz anz ad e mielz. »
> ....
> Dist li Sarrazins : « Merveille en ai grant
> De Carlemagne, ki est canuz e blancs
> Mien escientre plus ad de II C anz. » [1].

Gardons-nous bien ici de nous laisser prendre à la fausse naïveté du vieux trouvère. L'auteur de

---

1. Marsile dit : « Ganelon, sachez bien,
    J'ai le désir de beaucoup vous aimer.
    De Charlemagne je veux ouïr parler.
    Il est très vieux ; il a son temps usé,
    Il a, je crois, deux cents années passées. »
    ....
    Le païen dit : « Je suis émerveillé
    Par Charlemagne qui est vieux et chenu.
    Il a, je crois, deux cents années et plus. »
    ....
    Le Sarrasin dit : « Quel étonnement
    De Charlemagne qui est chenu et blanc.
    Il a, je crois, plus de deux fois cent ans ! ».

la première *Chanson de Roland* était sans doute, nous le verrons, un clerc assez érudit. Il n'ignorait pas, bien entendu, que Charlemagne n'avait pas régné pendant deux siècles. Et il savait évidemment que de l'avènement de Charlemagne à la mort du dernier roi de la dynastie qui portait son nom, de 768 à 987, il s'était écoulé un peu plus de deux cents ans. Et qu'on ne croie point surtout que cette identification de Charlemagne avec les autres rois de sa race soit seulement une fiction de poète. Nous la trouvons, formelle et explicite, dans l'*Historia Francorum Senonensis* rédigée peu après 1015; à l'année 987, nous lisons : « *Hic deficit regnum Caroli magni :* ici finit le règne de Charlemagne. »

Mien escientre plus ad de II C ans.

Les deux phrases, celle du chroniqueur et celle du poète se font exactement écho.

Et celle du poète nous indique clairement la date à laquelle elle fut écrite, celle qui marque dans notre histoire la fin des Carolingiens, qui régnèrent sur la France un peu plus de deux cents ans.

VI

LA CHANSON DE ROLAND ET LE CHANGEMENT DE DYNASTIE

M. Robert Fawtier [1], en une phrase rapide, s'est demandé si la première *Chanson* n'était pas née sous l'influence de la crise dynastique. A mon sentiment, le doute n'est pas permis. Malgré les mutilations des remanieurs, notre *Chanson* du XIIe siècle garde la trace de l'émotion profonde que souleva à la fin du Xe siècle la disparition, dans une atmosphère affreuse de trahison, de la dynastie du grand empereur. Pour retrouver ses traces, il est parfois nécessaire de recourir à d'autres versions que celle d'Oxford, mais, malgré l'usure du temps, les empreintes restent visibles.

Il est clair d'abord que le poème, dans son ensemble et dans toutes ses parties, est écrit à la gloire de Charlemagne. Le loyalisme, la ferveur du poète s'expriment dès le premier vers par le possessif : « *nostre* emperere magnes ». Sans doute, au moins dans les textes que nous avons,

---

1. *La Chanson de Roland*, p. 211. — Voir aussi p. 192.

le grand empereur s'incline assez volontiers, trop volontiers peut-être, devant les avis de ses barons. Son personnage n'en reste pas moins en toute circonstance impérial et souverain :

> 117 Blanche ad la barbe et tut flurit le chef,
> Gent ad le cors e le cuntenant fier :
> S'est kil demandet, ne l'estoet enseigner [1].

Sa présence à la tête du royaume et de l'armée équivaut à une certitude de salut et de succès :

> 1254 « Carles, mi sire, nus est guarant tuz dis »

proclame Turpin. Dieu l'avertit, le conseille, le guide par les avis, par les « visions » que lui transmettent ses anges. Il arrête le soleil pour lui permettre d'achever sa victoire. Charlemagne et ceux de sa race, dont son neveu Roland est comme le symbole, sont vraiment ses élus.

Que la première *Chanson de Roland* ait été écrite pour la défense et illustration de Charlemagne et de sa maison, nous en avons au reste un indice qui est presque une preuve. Le *Carmen de prodicione Guenonis* a été rédigé, vers la fin du XIe siècle ou le début du XIIe, d'après une œuvre française, plus simple que notre *Roland*, mais dont la conception, l'ordonnance générale, et même

---

[1]. Sa barbe est blanche et tout fleuri son chef,
Son corps est beau, sa contenance fière.
Si quelqu'un le demande, il ne faut le montrer.

certains détails[1] se retrouvent dans la version d'Oxford. Or, ce poème écrit dans le style prétentieux et insupportable que l'on va lire, commence par un éloge de Charlemagne :

> Rex Karolus, clipeus regni, tutela piorum
> Contemptor sceleris, sanctio juris erat;
> Marte ferus, stirpe presignis, corpore praestans,
> Mente pius, rebus faustus, honore potens.
> Talem, tam magnum, tam mirum magnificabant
> Gloria, fama, decus, maxima, digna, decens :
> Summa sit hoc laudis, sit famae, quod sua fama,
> Quod sua laus fama sit mage, laude magis[2].

Nous sommes donc en droit de penser que la vieille *Chanson* utilisée et défigurée par l'auteur du *Carmen* débutait elle aussi par un couplet analogue, plus simple évidemment, mieux écrit et mieux pensé, mais aussi enthousiaste.

Ainsi le premier *Roland* aurait été écrit à la gloire de la maison carolingienne, et quand ? Aux environs le l'an 1000, à la fin du Xe siècle, c'est-à-dire au moment où se jouait ou plutôt s'achevait

---

[1]. Cf. notamment la description du cheval de Turpin dans *la Chanson* (v. 1488 *sqq.*) et dans le *Carmen* (v. 337 *sqq.*).
[2]. Le roi Charles, bouclier du royaume, protecteur de la foi,
Ennemi du crime, maintenait la justice ;
Redoutable à la guerre, de noble race, de belle taille,
D'esprit pieux, heureux dans ses entreprises, puissant en dignités.
Ce roi, si grand, si admirable, était magnifié
Par une gloire sans égale, une renommée digne, un lustre illustre.
Que le comble de sa louange, de sa renommée soit que sa renommée,
Comme sa louange dépasse sa renommée, dépasse sa louange.

le grand drame dynastique, qui devait définitivement chasser du trône de France la race impériale, pour la plus grande tranquillité et le plus grand profit des Ottons germaniques, maîtres désormais incontestés de la Lorraine et du titre impérial.

La disparition des Carolingiens est un des épisodes les plus émouvants, les plus tragiques de notre histoire. Lothaire, qui fut un grand roi, passe les dernières années de sa vie à lutter contre les hommes du parti des Ottons, du parti impérial : Adalbéron, archevêque de Reims, chef de la faction, Gerbert, écolâtre de Reims et conseiller de l'archevêque, et leur allié ou leur instrument, Hugues Capet, duc de France. Il meurt après une très brève maladie, le 2 mars 986, au moment où il se préparait à envahir la Lorraine et où il venait de recevoir une demande de secours des chrétiens de la marche d'Espagne contre les Sarrasins. Quinze mois passent et au moment même où se réunissait à Compiègne l'assemblée qui devait juger Adalbéron, accusé de haute trahison, son fils Louis V meurt à son tour des suites d'un étrange accident survenu en forêt[1]. Neuf jours après, Hugues Capet reçoit la couronne des mains d'Adalbéron ; il est proclamé roi, le 1ᵉʳ juin 987. La mort inattendue et si opportune pour Adalbé-

---

1. Richer nous dit qu'il tomba de son haut pendant la chasse (*pedestri lapsu cecidens*), RICHER, *Hist.*, IV, 5.

ron et le parti des Ottons des deux derniers Carolingiens fit naître des soupçons inévitables et quarante ans plus tard Adémar de Chabannes se faisait encore l'écho des accusations d'empoisonnement [1]. La tragédie cependant devait durer quatre ans encore. L'année suivante, en effet, le frère de Lothaire, Charles de Lorraine, s'empare de Laon, la capitale carolingienne. A deux reprises, Hugues Capet vient l'y assiéger; à deux reprises, il est obligé de lever le siège, la seconde fois après une affaire peu glorieuse, au cours de laquelle son camp fut détruit par un coup de main des gens de Charles. En 989, avec la complicité de son neveu Arnoul, fils naturel de Lothaire qui avait succédé à l'archevêque Adalbéron, Charles occupe Reims. Ce n'est que deux années plus tard, après une nouvelle tentative pour réduire Laon par la force, et seulement grâce à la trahison de l'évêque de Laon, Adalbéron, surnommé Ascelin, que le roi Hugues peut s'emparer de Charles et de sa famille et les transférer à la prison d'Orléans. Mais le parti carolingien n'est pas mort. De 995 à l'an 1000, le même Ascelin, traître né, intrigue encore à Laon, au profit de Louis, un des fils

---

[1]. M. Ferdinand Lot qui a donné de ces événements dans *les Derniers Carolingiens*, 1891, un bon récit, ne croit pas à l'accusation, car, dit-il, nous connaissons par Richer (III, 109) les détails de la maladie du roi Lothaire. Mais ces détails sont imaginaires et copiés, après coup, dans un traité de médecine. Voir à ce sujet L.-C. Mac Kinney, *Tenth-century medicine as seen in the Historia of Richer of Rheims*, dans le *Bulletin of the John Hopkins Hospital*, vol. LV (1934), pp. 347-375.

de Charles de Lorraine, que le roi a eu la naïveté de lui confier, et peut-être pour le compte de l'empereur Otton III.

On voit dans quelle ambiance de trahison les derniers Carolingiens ont disparu de la scène de l'histoire. Au milieu de ces intrigues, ils tiennent d'ailleurs toujours le beau rôle grâce à leur courage et à leurs talents militaires. Mais n'est-ce pas exactement cette opposition, cette antithèse précisément que nous retrouvons dans *la Chanson de Roland* ?

Dans la version noroise, en tout cas, nous rencontrons une allusion formelle à la fin de la dynastie carolingienne. Le passage de la *Karlamagnussaga* qui correspond à la laisse 186 de la version d'Oxford est en effet assez différent du texte de notre *Chanson;* Charlemagne dort après sa victoire sur l'armée de Marsile, il rêve : « Ensuite se présenta une troisième vision. Il se croyait chez lui, en France, dans son palais et il lui semblait qu'il avait des chaînes à ses pieds et il voyait trente hommes qui allaient vers la ville d'Ardenne et ils parlaient entre eux et ils disaient : « le roi Char- « lemagne est vaincu, et il n'est plus digne de « porter la couronne en France. » Je crois qu'il est bien difficile de ne pas voir en ce passage une allusion très précise à la capture de Charles de Lorraine à Laon en 991, l'année qui marque en effet la fin de tout pouvoir des Carolingiens sur la terre de France.

Cette allusion n'est pas unique. J'en vois une autre, aussi claire, non pas encore dans la version d'Oxford, mais dans la version assonancée de Venise et dans les versions rimées. Charlemagne, rappelé par le cor de Roland, marche vers Roncevaux. Dans notre *Chanson,* il chevauche en silence. Dans les autres versions, il tient de curieux propos, qui viendraient se placer entre les vers 1850 et 1851. L'empereur déclare que Ganelon appartient à une lignée de traîtres et très précisément qu'il descend des assassins de César. J. Bédier [1] estime que cette idée n'a pu naître que dans un esprit inculte et à un moment où Ganelon était devenu une sorte de traître de mélodrame. Tel n'est pas notre sentiment. J'estime au contraire que l'évocation de la mort de César tué par traîtrise ne peut être que le fait d'un clerc et que l'intention est transparente. L'auteur de ce passage, aussi peu naïf que celui qui parlait des deux cents ans de Charlemagne, n'avait évidemment sous les yeux aucune généalogie rattachant Ganelon à Junius Brutus; mais pour lui, comme pour tous les lettrés du moyen âge, César était le symbole de l'Empire; tout assassin d'empereur était à ses yeux de la famille des assassins de César. Et sans doute ni Lothaire ni Louis V n'avaient été empereurs; mais ils étaient de sang impérial, de race impériale. Cette idée était si puissante

---

1. *Commentaires,* p. 121.

qu'elle s'imposait même à un homme comme Gerbert : celui-ci, dans une lettre écrite en 989, à un moment il est vrai où il se repentait d'avoir participé à la trahison d'Adalbéron, donne à Lothaire le titre impérial de « *divus augustus* »[1]. Puisque les hommes de la révolution de 987 furent à tort ou à raison soupçonnés d'être les assassins des deux derniers Carolingiens, cette évocation des meurtriers de César ne nous ramène-t-elle pas, elle aussi, vers un temps où ces soupçons, où ces accusations étaient encore vivants dans les esprits?

Faisons un pas de plus. Si l'on veut admettre que *la Chanson de Roland* fut d'abord écrite, au moins pour une part, avec le souci de flétrir les traîtres de 987, certains traits s'éclairent dans son ordonnance et dans son texte, si déformés qu'ils aient pu être par les remanieurs successifs. Et tout d'abord le personnage, le rôle, la place dans le poème de l'archevêque Turpin[2]. Turpin, Tylpinus, est un prélat fort bien connu, qui occupa le siège de Reims pendant la seconde moitié du VIIIe siècle et mourut en 788 ou en 794, quelques années après l'affaire de Roncevaux. Il mourut vraisem-

---

[1]. Lettre de Gerbert 164.
[2]. Cet ouvrage était déjà à l'impression lorsque M. E. Faral a présenté, à l'Académie des Inscriptions, une note fort documentée sur le rôle et le caractère de Turpin. Je ne connais, malheureusement, cette communication que par de brefs comptes rendus de presse. Il ne semble pas qu'elle soit de nature à modifier mes propres conclusions.

blablement dans son lit après avoir administré son diocèse diligemment. Hincmar qui rédigea son épitaphe, un siècle plus tard environ, loue fort ses vertus; il ignore tout de ses prétendus exploits guerriers. Flodoard qui retrace sa carrière dans son *Historia ecclesiae remensis* ne connaît que son activité ecclésiastique. L'ouvrage de Flodoard a été terminé en 948. Le Turpin, personnage légendaire et épique, est donc né après cette date. Pourquoi et en quelles circonstances? J. Bédier [1] qui pense que ce type de prélat guerroyeur a été suscité par les croisades d'Espagne au XIe siècle avoue qu' « on ne sait d'ailleurs pourquoi nos poètes ont confié ce rôle précisément à un archevêque de Reims plutôt qu'à tel autre prélat authentique du temps de Charlemagne ».

Si l'on veut admettre que la première *Chanson de Roland* a été écrite vers le temps de la chute définitive des Carolingiens, par un partisan de la dynastie déchue, on comprend au contraire fort bien le choix de Turpin. Le poète qui sait que son héros était contemporain de Roland se soucie évidemment aussi peu de la vérité historique qu'Alexandre Dumas mettant en scène un d'Artagnan. Ce qu'il veut, c'est introduire dans son œuvre un archevêque de Reims, vassal et sujet fidèle, modèle de loyauté à l'égard de son roi :

---

1. *Légendes épiques*, 3e éd., IV, p. 383.

> 1127 Seignurs baruns, Carles nus laissat ci ;
> Pur nostre rei devum nus ben murir

déclare-t-il d'abord aux chevaliers qui vont combattre. C'est lui encore qui proclame la vertu protectrice de nature quasi divine de la royauté carolingienne :

> 1254 Carles, mi sire, nus est guarant tuz diz

Le poète enfin salue ainsi sa mort :

> 2242 Morz est Turpin, le guerreier Charlun.

Turpin, archevêque de Reims, est en un mot l'antithèse, la satire personnifiée de cet autre archevêque de Reims, Adalbéron, traître à son roi et à son pays.

Celui-ci appartenait à une grande famille lorraine. Nommé au siège de Reims par Lothaire qui pensait peut-être acquérir ainsi des appuis nouveaux dans les duchés lorrains, Adalbéron fut l'artisan tenace et sournois de la chute des Carolingiens. « Il rêvait, nous dit M. Ferdinand Lot, de raffermir la société en ressuscitant, sous la direction d'un césar saxon, l'Empire romain dans son ancienne étendue. » En 978, il fournit à l'armée d'Otton II en retraite les guides qui lui évitèrent d'être écrasée par Lothaire sur les bords de l'Aisne. En 981, il se trouve en Italie avec Gerbert dans le temps même où Hugues Capet se rend secrètement à Rome pour conclure une alliance avec l'empereur. Il entretient à la cour de

Lothaire et de Louis V une armée d'espions. Il intrigue tant et si bien qu'à deux reprises il est accusé de haute trahison. La première fois en 985, sous Lothaire. Au moment où il va être jugé par l'assemblée de Compiègne, il est sauvé par Hugues Capet qui marche sur la ville avec six cents hommes d'armes et oblige l'assemblée à se disperser. Deux ans plus tard, le 18 mai 987, l'assemblée qui va le juger et le condamner est réunie de nouveau à Compiègne; mais Louis V est victime d'un accident en forêt et meurt trois jours après; il avait vingt ans. Adalbéron, neuf jours plus tard, consommait la ruine des Carolingiens.

Ainsi s'éclaire par contraste la figure de notre Turpin. C'est pour flétrir le prélat intrigant et félon, que le poète a campé le personnage inoubliable de l'archevêque valeureux et loyal.

Mais il est un autre personnage qui joue, probablement, dans la *Chanson*, un rôle parallèle à celui de Turpin, c'est Gautier de l'Hum. Ce Gautier est l'homme de confiance de Roland : « pour mon courage tu me traitais d'habitude comme ton fidèle préféré », dit-il à son seigneur :

2049   Pur vasselage suleie estre ton drut.

C'est lui que Roland charge de garder avec mille chevaliers les hauteurs sur le flanc de l'armée. Attaquée par le roi Almaris, sa troupe est écrasée sous le nombre. Seul, blessé, il reparaît sur le champ de bataille de Roncevaux. A ce moment, Roland, Turpin et lui sont les trois seuls survivants de l'armée. Et le neveu de Charles livre ainsi son dernier combat, ayant à ses côtés ces deux parangons de vaillance et de loyauté. Car Gautier est lui aussi le type du vassal fidèle :

> 801 Hom sui Rollant, jo ne li dei faillir.

Le personnage de Gautier de l'Hum a passablement intrigué les commentateurs. Il porte un nom de fief très commun et fort répandu, qui jure avec son titre de comte et qui détonne tout à fait avec le milieu aristocratique que met en scène *la Chanson de Roland*. Je suis donc persuadé qu'il est tout à fait vain d'essayer de retrouver la seigneurie de l'Hum ; on en découvrira une ou plusieurs à peu près dans n'importe quelle région de la France du Nord. Je crois bien plutôt que ce nom a dû être déformé par le remanieur de 1158, et déformé intentionnellement pour plaire à quelque puissant seigneur anglo-normand [1] Le nom inscrit dans le poème primitif devait être différent et j'incline à penser que la version assonancée de Venise nous donne la clef du mystère. Cette version appelle Gautier « Galter lion » au vers 743, « Galter léon » au vers 2211 et même « léon galter » au vers 740, qu'il faut peut-être corriger

---

[1]. Peut-être à Richard du Hommet, connétable de Normandie, qui figure jusqu'en 1178 à toutes les pages du règne de Henri II. Son nom patronymique se lit dans les chartes sous les formes les plus diverses (de Humas, de Humets, de Humez, etc.).

pour lire « li cont Galter »[1]. Le sens de cette appellation énigmatique nous est heureusement donné au vers 2155 où Gautier est désigné ainsi : « Gauter da mon leu ». Ce « mon leu » appelé « mon leon » aux vers 5475 et 5490 et « leuns » au vers 2240, c'est tout simplement la montagne de Laon. Gautier a été Gautier de Laon avant d'être Gautier de l'Hum

Ainsi les deux derniers combattants que Roland avant de mourir a vus à ses côtés, qui l'ont assisté jusqu'au bout, les deux barons, symboles de la fidélité valeureuse sont dans *la Chanson de Roland* Turpin de Reims et Gautier de Laon. Or, quels sont dans l'histoire les deux larrons entre lesquels est morte la dynastie carolingienne? Ce sont l'archevêque Adalbéron de Reims qui livra la couronne à Hugues Capet et l'évêque Adalbéron-Ascelin de Laon qui, dans des conditions abominables, durant la nuit du dimanche au lundi des Rameaux, après avoir prêté quelques heures avant serment de fidélité, livra par trahison Charles de Lorraine à Hugues Capet[2]. La coïncidence est je crois assez frappante pour paraître décisive. Turpin et Gautier sont la réplique idéale destinée à flétrir leurs modèles à rebours, Aldabéron et

---

[1]. Au vers 800 de la version d'Oxford, qui correspond au vers 740, on lit « li quens Gualters ».
[2]. Il faut lire dans Richer (IV, 41-49), le long et pittoresque récit des machinations de l'évêque de Laon (Voir notre Appendice IV).

Ascelin. Les contemporains devaient comprendre : la première *Chanson* ne peut pas avoir été écrite de longues années après les événements de 987-991.

Et puisque nous sommes à l'affût des coïncidences, il faut bien constater que la peine infligée à Ganelon est celle de l'écartèlement, précisément réservée aux criminels coupables de lèse-majesté. Si l on évoque enfin le sort de Louis V, le dernier Carolingien mort tragiquement à vingt ans, par trahison peut-être, lui aussi, quel accent prend à nos oreilles l'appel émouvant et magnifique qui éclate au milieu de la complainte de Charlemagne pleurant la mort de Roland :

2916 Ami Rollant, prozdoem, juvente bele !

Enfin, replaçons-nous par la pensée au moment des terreurs de l'an mille et relisons la laisse où le poète décrit les prodiges terrifiants qui accompagnent la mort du neveu de Charlemagne :

1433 Hume nel veit ki mult ne s'espaent.
Dient plusor : « Ço est li definement,
La fin del secle ki nus est en present. »
Il nel sevent, ne dient veir nient :
Ço est li granz dulors por la mort de Rollant [1].

---

1. Ceux qui le voient en sont dans l'épouvante.
    Beaucoup s'écrient : « Voici la fin du monde ;
    La fin du siècle, qui est là maintenant. »
    Non, ils se trompent, ils ne disent pas vrai.
    C'est la grande douleur pour la mort de Roland.

Pour ma part, j'interprète ce passage étrange comme le cri de colère et de désespoir d'un partisan attardé et passionné de la dynastie qui vient de disparaître. Le poète lance à ses auditeurs cette affirmation, cette imprécation : vous souffrez et vous croyez que vos souffrances signifient l'approche de la fin du monde; vous vous trompez, elles sont le prix des trahisons et des lâchetés qui ont amené la fin injuste de la race royale élue de Dieu :

> Il nel sevent, ne dient veir nient :
> Ço est li granz dulors por la mort de Rollant.

Roland, neveu de Charlemagne, étant ici le symbole de la valeur carolingienne.

Notre démonstration est terminée. Est-elle décisive ? Aucune, je crois, ne peut l'être dans un tel domaine. Répétons toutefois qu'elle a pour point de départ un fait certain révélé par l'acte de donation de 1055 à Saint-Victor de Marseille; il existait au début du XIe siècle une *Chanson* célébrant les exploits et l'amitié de Roland et d'Olivier. Nous nous bornons à compléter cette certitude par une hypothèse que la chronologie et de multiples indices conduisent à formuler : cette chanson a été écrite environ l'an 1000, sous le coup de l'émotion provoquée par la chute de la dynastie carolingienne, par un partisan de cette dynastie.

VII

LA NAISSANCE
DE L'ÉPOPÉE CAROLINGIENNE

Cette thèse n'a pas seulement pour elle la vraisemblance : elle a un autre mérite. Elle contribue dans une large mesure à élucider le problème de la naissance tardive et encore mystérieuse de l'épopée carolingienne. L'âge d'or des chansons de geste se place au XIe et au XIIe siècle. Or, à de rares exceptions près, le personnage central de cet imposant cycle de poèmes est un souverain qui fut puissant certes, et dont l'œuvre fut grandiose, mais dont la dynastie est défunte, dont les descendants ne règnent nulle part et qui est mort au moins depuis deux, voire depuis trois siècles, le temps qui nous sépare de Louis XIV ou d'Henri IV. Comment combler l'énorme intervalle qui se creuse ainsi entre le héros et ses chanteurs? Le fil ténu tendu entre le premier et les seconds par la théorie des cantilènes est définitivement rompu. Le lien en apparence un peu plus solide que Pio Rajna avait essayé de tresser avec l'idée d'une épopée germanique née des événements et gardienne de la tradition épique ne s'est pas révélé plus résistant.

Je ne pense pas que les chansons, les ballades hypothétiques, « composées sur les souvenirs des vieux soldats » imaginées par M. Robert Fawtier [1] puissent mieux remplir l'immense vide. Je vois mal, je l'avoue, la chanson de Malbrouck donnant naissance de nos jours à une épopée de Malplaquet.

Joseph Bédier [2] se plaçait sur un terrain beaucoup plus solide quand il cherchait dans la tradition cléricale le lien entre Charlemagne et les siècles féodaux, quand il écrivait : « ce qui maintint le souvenir de l'empereur dans l'esprit des clercs, ce ne fut pas seulement la lecture des Annales de son règne; ce furent des témoignages plus concrets de ses bienfaits et qui les touchaient de plus près. Des diplômes de lui attestaient sa munificence ». Sans doute; mais pour reprendre les expressions mêmes du maître du romanisme, pourquoi est-ce au XIe siècle seulement que « le type de Charlemagne, préformé dans l'esprit des clercs des âges précédents, va s'achever par l'œuvre des chanteurs de geste »? Pourquoi n'est-ce que plus de deux siècles et demi après sa mort que l'empereur a été enfin ressuscité « par l'incantation des poètes» ? A ces questions, J. Bédier répond : il a fallu attendre le grand mouvement de foi chrétienne et d'expansion française qui au

---

1. *La Chanson de Roland,* p. 208.
2. *Légendes épiques,* 3e éd., IV, p. 437 *sqq.*

XIe siècle a lancé la chevalerie et le peuple de France dans les expéditions contre les Sarrasins d'Espagne, à la conquête de l'Italie du Sud, de l'Angleterre, de la Sicile païenne, et enfin vers Jérusalem pour la délivrance de la Terre Sainte. Alors s'est rallumé le souvenir conservé par les clercs de l'empereur champion de la chrétienté contre les païens d'Allemagne et d'Espagne, de Charlemagne protecteur des lieux saints; alors s'est réveillée à Aniane, à Roncevaux, à Blaye, sur toutes les routes jalonnées de sanctuaires la mémoire des preux qui l'avaient accompagné et secondé.

Que cette thèse contienne une part de vérité, c'est incontestable. Qu'elle rende compte notamment du prodigieux succès de la geste carolingienne à la fin du XIe et durant tout le XIIe siècles, c'est un fait que l'on peut considérer comme acquis. Elle n'explique malheureusement pas la naissance même de cette geste. La grande poussée franco-chrétienne dont parle J. Bédier ne s'est produite en effet qu'après 1050, durant la seconde moitié du XIe siècle; car il serait très exagéré de parler de croisade espagnole avant l'expédition de 1064 contre Barbastro et il est vraiment impossible d'employer cette expression à propos des premières entreprises des Normands dans l'Italie du Sud. Or, en 1050, la geste carolingienne était déjà née; de ses deux joyaux, *la Chanson de Roland* et le cycle de Guillaume, l'un est apparu vers l'an

1000, le second a pris forme certainement avant l'an 1030, date extrême du *Fragment de La Haye,* qui en cite plusieurs protagonistes [1]. Cette geste est donc nettement antérieure au mouvement qui, d'après J. Bédier, l'aurait suscitée. La chronologie est impitoyable.

Bien des choses s'éclairent en revanche si l'on veut admettre que la « résurrection » de Charlemagne, qui se place décidément autour de l'an 1000 et au début du XIe siècle est en étroite liaison avec la révolution politique consommée à la fin du Xe siècle. La popularité, le foisonnement de la légende à ce moment ne serait que la traduction sur le plan littéraire de l'ébranlement provoqué par la disparition dramatique de la lignée du grand empereur. On peut, il est vrai, se demander si cet ébranlement a été profond et même réel. M. Ferdinand Lot ne l'a pas cru : « Il ne semble pas, écrit-il, que les contemporains se soient beaucoup inquiétés du sort des derniers descendants de Charlemagne... Quand Hugues eut établi un ordre de choses qui ne différait en rien de celui des Carolingiens ses prédécesseurs, personne ne songea plus à ces derniers. » [2].

M. Ferdinand Lot exprimait ainsi il y a cinquante ans l'opinion traditionnelle enracinée par plus de huit siècles de gouvernement capétien et

---
1. SAMARAN. « Sur la date du Fragment de La Haye ». *Romania*, t. LVIII (1932).
2. *Les Derniers Carolingiens,* pp. 291-292.

confirmée par les historiens romantiques qui ont salué dans l'avènement de Hugues Capet la revanche du peuple gallo-romain contre les conquérants germaniques [1]. Cette opinion, les travaux eux-mêmes de M. Ferdinand Lot ont contribué à l'ébranler et à la modifier. On trouve d'ailleurs dans son livre, en un autre endroit, l'affirmation que l'oubli de ces Carolingiens, au lieu d'être prompt, s'était au contraire fait attendre : « Quand la dynastie capétienne se fut affermie sur le trône, quand elle présenta des chances de stabilité et de durée, personne n'osa plus naturellement élever le moindre doute sur sa légitimité. » [2].

Ces doutes en effet durèrent longtemps. Gerbert lui-même, comme pris de remords, les exprime avec passion, en 989, dans une lettre à l'évêque de Laon : « Le frère de Lothaire (Charles), écrit-il, héritier du royaume, a été expulsé du royaume. Ses rivaux (Hugues et son fils Robert), *suivant l'opinion de beaucoup,* ne sont que des interrois. De quel droit l'héritier légitime a-t-il été privé de son patrimoine ? » [3]. Richer, son élève et ami, moine à Saint-Rémi de Reims, ne cache pas dans son *Histoire* écrite vers 995 et dédiée précisément à Gerbert, alors archevêque de Reims, son grand attachement à la dynastie carolingienne. Les

---

1. Michelet lui-même écrit, à propos de l'événement de 987 : « Parvenus au terme de la domination des Allemands. » *Histoire de France*, t. II.
2. *Les Derniers Carolingiens,* p. 380.
3. Lettre de Gerbert 164.

Annales Mettenses, compilation écrite à la fin du Xe siècle par un partisan des Carolingiens, prouvent que, même en Haute-Lorraine, la dynastie déchue gardait des fervents. Sens resta de longues années un foyer carolingien. Son archevêque, Séguin, refusa de reconnaître Hugues. L'auteur de l'*Historia Francorum Senonensis* qui écrit après 1015, le qualifie encore de « rebelle ». En Aquitaine, dont les ducs, comtes de Poitiers, se rattachaient par une parenté mal définie, mais certaine à Guillaume le Pieux, comte d'Auvergne, arrière-petit-fils de saint Guillaume, c'est-à-dire de Guillaume d'Orange [1], se conserva longtemps le souvenir fidèle de la descendance de Charlemagne. L'acte de réception de l'évêque de Cahors, en 990, est daté du règne de Charles [2]. Baluze, dans son *Histoire de Tulle* (p. 384), cite une charte de 992 ainsi datée : « *anno V, sperante Karolo rege* ». Adémar de Chabannes, le grand chroniqueur aquitain écrivait vers 1025 dans sa *Chronique :* « Le duc d'Aquitaine Guillaume (Fierebrace) réprouvant l'injustice des Français, refusa de se soumettre à Hugues. » Le fait n'est peut-être pas exact. Mais le texte prouve que, plus d'un tiers de siècle après la mort de Louis V, en Aquitaine et dans l'entourage de Guillaume V, malgré les

---

1. A. Molinier, *Mémoire sur la géographie de la province du Languedoc au moyen âge;* dans Devic et Vaissette, *Histoire gén. de Languedoc,* n. éd., t. XII, p. 237.
2. *Gallia Christiana,* t. I, Instr., p. 28.

bonnes relations qu'entretenait le duc avec le roi Robert, le loyalisme carolingien n'était pas mort. Ce loyalisme ne s'éteignit que lentement. L'auteur de la *Genealogia regum tertiae stirpis usque ad Philippum I,* composée vers 1060 ou 1061, est un partisan attardé de la dynastie défunte.

Ainsi, à ne consulter que les histoires et les documents officiels, on constate, après la révolution de 987, l'existence d'un parti légitimiste carolingien, qui se prolonge même après la disparition du dernier prétendant. Mais ce n'est pas dans les sources officielles, bien peu abondantes d'ailleurs pour cette période de notre histoire, que l'on découvre en général les témoignages de fidélité à un régime déchu. Si nous ne disposions que des documents officiels de la Restauration et même de la Monarchie de Juillet, si nous n'avions lu ni les romans de Stendhal, ni les poésies de Victor Hugo, ni la *Confession d'un enfant du siècle* de Musset, ni les *Chansons* de Béranger, ni la *Comédie humaine* de Balzac, nous pourrions, à la manière de M. Ferdinand Lot, écrire nous aussi que, après que Louis XVIII eut installé et organisé le nouveau gouvernement, personne ne songea plus à Napoléon. Or, c'est très exactement dans cette situation que nous nous trouvons à l'égard de la période qui suivit la chute des Carolingiens. Et notre thèse est précisément que, comme après 1815, c'est dans les œuvres littéraires destinées au grand public de toutes les classes, écrites par conséquent en langue vulgaire, que s'exprimèrent, après 987, les regrets et les espoirs de l'opposition et d'une manière générale, la nostalgie de la grandeur défunte.

J. Bédier [1], avec son admirable intuition, a parfaitement exprimé ce sentiment et décrit cette réaction : « Que furent les trois rois du XIe siècle, Robert II (996-1031), Henri Ier (1031-1060), Philippe Ier (1060-1108)? Inertes, inutiles, ils ne prirent part ni à la lutte des papes et des empereurs, ni aux guerres d'Italie, d'Espagne, d'Angleterre, ni à la Croisade en Terre Sainte. Mais leur insignifiance même rappela aux hommes de pensée et de savoir les temps où les peuples étaient rassemblés sous une main puissante et Charlemagne devint de plus en plus le symbole de ce grand passé. » J. Bédier a entièrement raison, avec cette seule réserve que ce n'est pas un demi-siècle après la fin des Carolingiens que se produisit ce mouvement des cœurs et des esprits, mais sous l'impression, au lendemain même de leur chute, au moment où selon l'expression de l'*Historia Francorum Senonensis* « *deficit regnum Karoli magni* ». C'est à ce moment que naquit *la Chanson de Roland*.

Naquit-elle seule? Assurément non. La date du *Fragment de la Haye*, débris d'un poème latin, imité d'un poème français, qui met en scène qua-

---

1. *Légendes épiques*, 3e éd., IV, p. 453.

tre personnages du cycle de Guillaume, date qui ne peut être postérieure à 1030, est la preuve que la geste de Guillaume a commencé à se constituer dans le temps même où apparaissait la première *Chanson de Roland*. J'ajoute que nous pouvons, que nous devons y retrouver les préoccupations dynastiques que nous avons cru déceler dans la *Chanson,* non pas certes dans tous les poèmes du cycle qui a grandi pendant deux cents ans, mais au moins dans certains de ses éléments essentiels.

Le Couronnement de Louis est une des chevilles ouvrières du cycle de Guillaume. Nous n'en possédons hélas! qu'une rédaction tardive de la seconde moitié du XIIe siècle, écrite d'après un poème primitif profondément altéré par le dernier remanieur. Il n'est cependant pas difficile d'en retrouver l'inspiration première. Le motif directeur du poème est la fidélité inébranlable de Guillaume au fils de Charlemagne, le roi Louis, qui réside lui aussi à Aix et à Laon. Celui-ci n'est guère digne de ce dévouement. C'est un « povres rois, lasches et assotez ». Qu'importe! Guillaume le défend inlassablement contre les tentatives des traîtres et des usurpateurs, contre Arneis d'Orléans, qui fait naturellement penser au duc de France, contre Richard de Normandie et son fils Ascelin qui porte, coïncidence remarquable, le même nom que l'évêque de Laon qui livra par traîtrise Charles de Lorraine. Il combat des années durant « por son seignor maintenir et aidier ». Et quand il parle de son roi : « En son servise vueil ma joventé user » déclare-t-il.

Qui ne reconnaîtrait dans ce thème de la loyauté indéfectible à l'héritier de Charlemagne, un thème exactement parallèle à celui de la trahison que forme la trame de *la Chanson de Roland*. Sans doute le « povre » roi Louis n'est plus que l'ombre du grand empereur. Le devoir de fidélité n'en est que plus éclatant, plus certain, plus inéluctable. Honte aux grands vassaux qui l'ont méconnu !

Il ne nous est d'ailleurs pas difficile de deviner où, quand, près de qui et pour qui a dû être composé le premier *Couronnement de Louis*. Une grande maison féodale, au début du XIe siècle, se flattait d'être restée loyale jusqu'au bout aux rois carolingiens, et faisait en tout cas affirmer cette fidélité par son chroniqueur, Adémar de Chabannes, c'était la maison de Poitiers, celle des ducs d'Aquitaine. Les Guillaume d'Aquitaine prétendaient descendre de Guillaume, comte de Toulouse, cousin germain de Charlemagne, celui dont les moines de Gellone ont fait saint Guillaume, et les auteurs de chansons de geste Guillaume d'Orange. Guillaume V qui régnait en Aquitaine au début du XIe siècle, était l'arrière-petit-fils d'Ebles, comte de Poitiers, qui avait recueilli en 927 ou 928 l'héritage de Guillaume le Pieux, comte d'Auvergne, et arrière-petit-fils lui-même de Guillaume de Toulouse. Il était petit-fils de Guillaume II Tête d'Etoupes, lequel avait reçu de Louis IV d'Outre-mer, le titre de duc d'Aquitaine. Anciens on le voit étaient les liens, politiques et même familiaux, qui unissaient la maison d'Aquitaine aux Carolingiens. Très légitime était donc l'affectation de fidélité d'un prince comme Guillaume V. Et si, pour symboliser cette fidélité, il fallait élire un héros, quel choix plus naturel que celui de Guillaume de Toulouse, l'ancêtre lointain de la famille, le parent de Charlemagne, le défenseur de la chrétienté contre les Sarrasins ? *Le Couronnement de Louis* aurait donc été écrit à la cour de Guillaume V, l'ami de Cluny, pèlerin infatigable de Rome et de Saint-Jacques, amateur de livres, souverain protecteur des savants et des lettrés.

D'autres indices d'ailleurs conduisent à la même conclusion. C'est d'abord le surnom de *Fierebrace* donné abusivement au contemporain de Charlemagne : Fierebrace était le surnom vrai du père de Guillaume V, de celui dont la fidélité carolingienne s'était, d'après Adémar de Chabannes, affirmée en 987 avec tant de vigueur. C'est surtout la liste des conquêtes effectuées par le héros pour le compte du roi Louis : en première ligne, le Poitou, puis Bordeaux, le pays gascon, Pierrelate, Saint-Gilles et enfin le royaume d'Italie. Il est bien remarquable que les terres françaises conquises par l'ancêtre de la famille des ducs d'Aquitaine coïncident très exactement avec la partie du royaume sur laquelle les ducs du XIe siècle procla-

maient ou réclamaient leur suzeraineté. Flatterie
discrète du poète ou affirmation d'un droit historique? Les deux probablement. Plus significative encore est la conquête du royaume d'Italie
contre Gui d'Allemagne, que, dans le poème, Guillaume tue de sa propre main. La conquête et le
nom du concurrent du roi Louis sont aussi peu
historiques l'un que l'autre ; ce sont inventions de
poète. J. Bédier n'a pas eu de peine à le démontrer.
Mais ce qui n'est pas une invention de poète, c'est
la tentative de Guillaume V pour devenir roi
d'Italie. En 1024, à l'avènement de Conrad II,
les seigneurs italiens désireux d'écarter le roi allemand vinrent en effet lui offrir la couronne. Tenté
par l'offre, il répandit l'argent, multiplia les
démarches, et descendit même en Italie, pour revenir, il est vrai, bientôt les mains vides. Nous avons
là sans doute la clef de l'expédition victorieuse et
imaginaire de Guillaume Fierebrace. Celle-ci n'est
que la préfiguration de l'entreprise de son héritier
lointain.

Et si l'on doute encore de cette interprétation,
que l'on relise le *Couronnement de Louis,* et que
l'on réfléchisse à sa composition, à celle du poème
qui nous est parvenu, mais surtout à celle du
poème primitif, telle que l'a reconstituée J. Bédier
après A. Jeanroy [1]. J. Bédier a insisté, avec raison, sur l'unité de l'œuvre, centon apparent d'épi-

---

1. *Légendes épiques,* 3ᵉ éd., I, p. 326.

sodes juxtaposés. Cette unité, qu'il trouve dans l'opposition constante entre le roi jeune et faible et le vassal fidèle, est plus profonde encore qu'il ne l'a dit. Le poème primitif était en effet encadré par deux épisodes italiens : il débutait par l'épisode de Corsolt dans lequel Guillaume défend Rome et Capoue contre les Sarrasins et s'achevait par l'épisode de Gui d'Allemagne, au cours duquel Guillaume défend Rome et l'Italie contre les Allemands. L'intention, l'allusion politiques ne sont-elles pas évidentes ? Il s'agit en somme de proclamer la vocation héréditaire de la descendance de Guillaume à défendre Rome et la terre italienne.

Nous pouvons donc affirmer, avec de minimes chances d'erreur, que le poème fut écrit en 1024 dans l'entourage de Guillaume V d'Aquitaine pour appuyer ses desseins italiens. Mais n'est-il pas remarquable et décisif que quelque quarante ans après l'avènement de Hugues Capet, pour servir les ambitions de son prétendant, le poète du *Couronnement de Louis* ait cru utile, ait jugé nécessaire de rappeler, de souligner les liens qui unissaient sa race à la race impériale et de la parer d'une auréole de fidélité carolingienne ? Nous trouvons la preuve que c'est bien au lendemain de la chute de sa descendance que la figure de Charlemagne a brusquement grandi dans l'imagination du peuple et des poètes, et que par une réaction d'ordre à la fois politique et sentimental, il est devenu le héros légendaire, d'abord généreux, juste et puissant, plus tard faible, capricieux, égoïste et brutal, placé au centre de presque toute la production épique française pendant plus de deux cents ans.

Et l'une des premières, sinon la première manifestation de cette réaction fut sans doute la naissance de *la Chanson de Roland*, que la majesté de Charlemagne domine héroïquement.

VIII

LA NAISSANCE DE LA PREMIÈRE *CHANSON DE ROLAND*

L'an 1000, l'année 1158, tels seraient les deux points fixes entre lesquels se place l'évolution qui aboutit à la version d'Oxford. Un siècle et demi d'histoire! Est-il possible de retrouver les étapes parcourues, de refaire par la pensée le chemin qui a conduit du poème primitif, que nous devinons, à la rédaction que nous lisons dans le manuscrit de la Bodléienne? Pour répondre à la question, il faut d'abord évidemment tenter de se faire une idée au moins approximative de la première *Chanson de Roland*. Peut-être y parviendrons-nous en cherchant à définir non pas ce qu'elle était, mais ce qu'elle n'était pas.

Qu'on ne se méprenne pas sur le sens de cette recherche. En abordant cette analyse, il ne s'agit pas de revenir à la vieille conception qui faisait des chansons de geste des compilations plus ou moins cohérentes, plus ou moins bien ordonnées de poèmes antérieurs. De cette thèse, J. Bédier a fait justice et ce serait, je crois, perdre son temps que de rouvrir le procès. La *Chanson* de l'an 1000 était déjà une véritable chanson de geste, un poème complet se suffisant à lui-même et racontant comme un drame bien construit toute l'affaire de Roncevaux, telle que l'avait imaginée le poète. Mais on sait le malheureux sort subi par presque toutes nos chansons de geste. Elles ont été périodiquement remises à jour et au goût du jour. Elles ont été « remaniées » et les remanieurs ne se sont pas fait faute, parfois d'amputer, parfois d'amplifier le premier récit. Ainsi, les remanieurs de la version rimée ont ajouté à la version d'Oxford les différentes évasions et poursuites de Ganelon, le voyage de la fiancée et de la mère de Roland à Blaye, tandis que l'auteur de la version assonancée de Venise y insérait en outre l'épisode de la prise de Narbonne par Aymeri. Il faut évidemment se représenter l'évolution de *la Chanson de Roland* avant la version d'Oxford, qui n'est elle-même qu'un remaniement, comme fort semblable à celle qui la suivit. Il est tout à fait improbable que l'œuvre de l'an 1000 soit restée inchangée pendant cent cinquante ans; sa popularité certaine, dont on possède mainte preuve, nous apporte au contraire la certitude que des renouvellements ont dû précéder le renouvellement de 1158.

J. Bédier [1] a consacré des pages admirables, pleines de vigueur logique et de sens littéraire à démontrer l'unité du poème de Turold : *Turoldus*

---

1. *Légendes épiques*, 3ᵉ éd., III, p. 410 *sqq.*

vindicatus, dit-il. Sa démonstration, à quelques détails près, est pertinente. En revanche, la conclusion qu'il en tire est très discutable. Le poème de Turold, dit-il, présente une structure aussi solide que celle des œuvres littéraires dont nous savons qu'elles ont été conçues, méditées, réalisées par un auteur que nous connaissons. La version d'Oxford, conclut-il, n'est donc pas un aboutissement ; elle est un point de départ, une création ; c'est avec elle qu'est née *la Chanson de Roland*[1]. A la base de ce raisonnement, il y a une pétition de principe évidente. J. Bédier suppose qu'un remanieur n'est pas, ne peut pas être un artiste. Et pourquoi donc ? Les remanieurs, tout au contraire, étaient des hommes de métier, qui pouvaient avoir du talent, et dont certains furent assurément de vrais poètes. Les œuvres qui sortaient de leurs mains étaient des œuvres d'art, au même titre que les poèmes qu'ils renouvelaient. Et cette thèse est celle-là précisément que J. Bédier a soutenue lui-même dans son élégant paradoxe sur les remanieurs[2], qu'il a résumé ainsi : « Il est possible que les formes primitives des chansons de geste aient été plus grossières et plus incohérentes que les formes renouvelées. » Notre *Chanson de Roland* est certes faite de main d'ouvrier ;

---

1. J. Bédier paraît admettre parfois que la version d'Oxford n'est pas la version primitive. Mais celle-ci, dans son esprit, serait très voisine de celle-là.
2. *Légendes épiques*, 3ᵉ éd., I, p. 312.

on ne saurait en conclure qu'elle n'est pas un remaniement. *Iphigénie* et *Phèdre* ne sont-elles pas, au fond, des renouvellements d'Euripide?

Il est une partie de notre *Chanson de Roland* dont nous savons déjà, avec certitude, qu'elle ne pouvait figurer dans la chanson primitive, c'est l'épisode de Baligant. Celui-ci est manifestement inspiré des récits des historiens de la Croisade et a dû figurer dans la *Geste Francor* avant d'être inséré dans le poème par Turold. Assez tardif également doit être le récit du duel judiciaire entre Tierri et Pinabel, que Turold pouvait lire dans le pseudo-Turpin et probablement aussi dans sa source latine. La tradition plus ancienne conservée par la *Karlamagnussaga* ne le connaissait pas. La condamnation du traître n'y était que la conclusion d'un procès où la décision était enlevée par un long et beau discours du duc Naimes. Sur ces deux points, je crois, ni la discussion, ni le doute ne sont possibles.

Il est un troisième épisode sur lequel on pourrait, à la rigueur, hésiter. Je le crois, cependant, introduit dans le récit par un ancien remanieur. C'est celui de Blancandrin. Blancandrin de Castel de Valfunde est, on le sait, ce « sage païen » qui conseille à Marsile de feindre la soumission à Charlemagne, qui conduit l'ambassade chargée d'offrir à l'empereur un large tribut et la promesse de recevoir le baptême, qui enfin, au retour de l'ambassade sur le chemin de Cordres à Saragosse entame avec Ganelon les pourparlers qui conduiront celui-ci à la trahison. Il existe de nombreuses et très fortes raisons pour penser que ni le personnage ni les passages où il figure ne faisaient partie de la version primitive.

Et tout d'abord, il faut remarquer que l'auteur du *Carmen de prodicione Guenonis* qui avait certainement sous les yeux un poème en langue vulgaire ignore tout de Blancandrin et de son rôle. Mais, dira-t-on, le rédacteur du *Carmen* résume. C'est vrai ; mais précisément pour ce passage, l'argument est sans valeur. L'auteur du *Carmen* ne se borne pas en effet à résumer, il donne une autre version des événements. Dans cette version, Charlemagne ne reçoit aucune ambassade de Marsile. Après être resté sept ans en Espagne, il vient de s'emparer de Morinde, et se prépare à retourner en France, quand Roland s'oppose à ce retour et demande qu'on envoie à Marsile une lettre lui ordonnant de faire sa soumission. Charles se range à cet avis et rédige la missive comminatoire. Sur la proposition de Roland, Ganelon est désigné pour porter la lettre. Irrité, celui-ci promet de se venger et se met seul en route pour Saragosse. Tel est le récit du *Carmen* qui ne résume pas, qui exclut celui de notre version. Son auteur l'a donc emprunté à une autre chanson qui ne comportait pas l'épisode de Blancandrin.

Cette chanson a existé, et nous en avons peut-être conservé miraculeusement une laisse. Dans le

Carmen, nous venons de le voir, Ganelon fait seul le voyage de Saragosse, le cœur rempli de crainte et de rancune. Or, avec beaucoup de sagacité, Gaston Paris [1] a remarqué qu'une laisse de la version assonancée de Venise, qui n'a pas d'équivalente dans la version d'Oxford, expose exactement la même situation. Ganelon vient de quitter les siens et s'est mis en route vers Saragosse :

> 283 Civalça Gayne di e noite a la luna,
> Si cum quel hom che de mort a paura
> Contra son cival a soa raxon tenua :
> « O bon cival...

Suit le discours au cheval, à qui Ganelon décrit l'itinéraire :

> Vu passari la grant aigua de Runa
> Si passari la val de Gardamuna...
> Quil che la passa mai in Franca no torna,

A son cheval, il confie aussi sa rancune et son désir de vengeance :

> Quel chi ve manda de mi no a miga cura.
> Co e Rollant cui Damnedeo confunda
> Si fara el se de vita me dona [2].

---

1. *Le Carmen de prodicione Guenonis, Romania,* t. XI, 1882, p. 499.
2. Ganelon chevauchant jour et nuit à la lune
    Est comme un homme qui redoute la mort.
    A son cheval il adresse un discours :
    « O bon cheval...
    ....
    Vous passerez la grande eau de la Rhune.

ET L'HISTOIRE DE FRANCE

Le cavalier qui parle ainsi à son cheval est seul. G. Paris a raison : nous lisons là un vestige, échappé aux remanieurs, du poème primitif que suivait sans doute l'auteur du *Carmen*.

Avec une grande vaillance, J. Bédier a livré bataille pour l'épisode de Blancandrin [1] et s'est efforcé de résoudre les incohérences dénoncées avant lui par les critiques dépeceurs. Par exemple, au vers 18, Marsile dit à ses conseillers, parlant de Charlemagne :

> Jo nen ai ost qui bataille li dunne
> Ne n'ai tel gent ki la sue derumpet [2].

Mais au vers 564, il déclare à Ganelon :

> Jo ai tel gent, plus bele ne verreis,
> Quatre cenz milie chevalers puis aveir [3].

Et c'est vrai, la suite du récit le montrera. La contradiction n'est qu'apparente, répond Bédier, car la suite du récit montrera aussi que les 20.000 chevaliers français de l'arrière-garde suffisent à

> Vous passerez le val de Gardamune.
> Qui le franchit ne revient plus en France.
> ....
> Qui vous envoie de moi n'a nul souci,
> C'est ce Roland que Seigneur Dieu confonde.
> Il le fera, s'il me donne de vivre. »

1. *Légendes épiques*, 3ᵉ éd., III, p. 400.
2.   Plus n'ai d'armée pour lui livrer bataille,
   Ni de soldats pour disperser les siens.
3.   J'ai tant de troupes, plus belles n'en verrez.
   Je puis avoir quatre cent mille chevaliers.

mettre en déroute l'immense armée de Marsile. L'argument est spécieux, il n'est pas convaincant. Le remanieur qui a introduit l'épisode de l'ambassade de Blancandrin, c'est-à-dire la donnée de la soumission apparente mais spontanée de Marsile à Charlemagne, était bien obligé en effet de justifier cette surprenante initiative, d'où les vers 18 et 19. Mais il ne pouvait pas supprimer l'armée de Marsile nécessaire au massacre de l'arrière-garde. Force fut donc de laisser cette armée reparaître au vers 564. D'où la contradiction.

En vérité, l'ambassade de Blancandrin est exclue par le texte même de notre *Chanson*. Et tout d'abord par le rôle et l'attitude de Ganelon qui, dans le récit que nous lisons, sont tout à fait incompréhensibles, qui sont même absurdes. Marsile offre la paix. Qui donc dans le conseil de Charles parle le premier en faveur de cette paix et proclame ainsi la bonne foi de Marsile, avec véhémence? C'est Ganelon. Quelques instants après, sur la proposition de Roland, le même Ganelon est désigné pour porter à Marsile l'acceptation de Charlemagne, la réponse pacifique. Or, le voilà qui entre dans une colère terrible, dans un désespoir profond et qui déclare que tout messager envoyé auprès de Marsile est un homme mort :

311   Hom ki la vait repairer ne s'en poet.

Cette fureur, cette terreur de Ganelon sont inadmissibles. J'ajoute que la scène du conseil dans laquelle les barons s'offrent l'un après l'autre courageusement pour aller à Saragosse n'a aucun sens dans le récit d'Oxford. Puisqu'il ne s'agit que d'aller conclure une paix offerte, où est le péril? Dans la version primitive, suivie par le *Carmen,* tout est clair, au contraire, logique et naturel. Marsile ne fait aucune proposition. C'est Charlemagne qui, à la demande de Roland, envoie à Marsile une sommation injurieuse, une injonction brutale d'avoir à capituler sans combat Le rôle d'ambassadeur comporte dès lors des risques évidents; la colère, la rancune, la peur même de Ganelon sont tout à fait naturels. Aller dans de telles conditions porter un tel message, seul, en terre païenne, c'est marcher à la mort.

Mais relisons le message que, dans notre *Chanson,* Ganelon porte à Saragosse. O surprise! Jamais, ni dans les deux discours que prononce Ganelon devant Marsile, ni dans la lettre de Charlemagne au roi il n'est question des propositions de paix portées par Blancandrin à l'empereur. Qu'a proposé Marsile à Charlemagne? — De se faire chrétien, de lui payer un lourd tribut, et de lui livrer des otages. Que demande Ganelon à Marsile au nom de Charlemagne? — Simplement de se faire chrétien; il ne lui réclame ni tribut, ni otages. Bien mieux, il annonce qu'on lui donnera en fief la moitié de l'Espagne, c'est-à-dire beaucoup plus qu'il ne possède. Et devant ces conditions infiniment plus douces que celles qu'il a proposées lui-même, Marsile s'indigne et menace de tuer Ganelon! L'incohérence est évidente. Non seulement l'épisode de Blancandrin a été introduit dans le vieux récit par un remanieur, mais l'insertion a été faite sans adresse et les points de suture sont vraiment un peu trop apparents.

La démonstration est, je crois, suffisante. On pourrait la compléter en rappelant quelques objections depuis longtemps présentées au récit du manuscrit d'Oxford : pourquoi Blancandrin par exemple qui, au cours du voyage de Cordres à Saragosse, a déjà conclu avec Ganelon le pacte de trahison, n'en avise-t-il pas Marsile dès l'arrivée? Pourquoi Blancandrin, protagoniste du drame jusqu'au vers 510, disparaît-il ensuite complètement? J. Bédier pense qu'on pourrait relever des inconséquences du même ordre dans les œuvres littéraires les mieux composées. Peut-être, en effet Mais ces inconséquences s'ajoutent aux incohérences graves relevées plus haut et elles achèvent de ruiner l'authenticité de l'ambassade de Blancandrin.

La première *Chanson de Roland* devait donc au total se présenter à peu près dans la forme suivante. Elle commençait par la description d'un conseil tenu par Charlemagne. Sur la proposition de Roland, ce conseil décidait d'enjoindre à Marsile de faire sa soumission et désignait Ganelon pour porter le dangereux message. Celui-ci après avoir manifesté sa rage et sa rancune, se rendait seul à Saragosse et, ayant présenté courageusement la sommation de Charles, concluait avec Marsile le pacte destiné à consommer la ruine de Roland et de l'arrière-garde. Suivait un récit de la bataille de Roncevaux qui devait être très voisin de celui que nous lisons. Le poème se terminait par le retour de Charlemagne à Roncevaux, la poursuite et le massacre des restes de l'armée de Marsile, le retour en France, le procès et l'écartèlement de Ganelon qui avait lieu à Aix ou peut-être à Laon, comme il advient dans la version assonancée de Venise.

Le poème primitif ainsi dépouillé de ses additions postérieures, essentiellement constitué par le récit de la trahison, de la bataille, et de la vengeance finale sur les deux traîtres : Marsile et Ganelon, présente en somme, à très peu près, la même trame que le *Carmen de prodicione Guenonis* dont la fin seulement est très écourtée, puisqu'elle ne comporte ni la poursuite ni l'écrasement final de l'armée de Marsile par Charlemagne. J'incline en effet à croire que le *Carmen* n'est qu'une analyse versifiée par un clerc, pour des clercs lettrés, de la plus vieille *Chanson de Roland*. Son style prétentieux et alambiqué a fait généralement fixer au XII° siècle la rédaction du *Carmen*. Cette manière de mauvais goût n'est pas rare en effet à cette époque; on en trouvera notamment des exemples dans les parties versifiées des *Gesta Tancredi* de Raoul de Caen. Mais elle n'est pas un privilège du XIIe siècle. On la rencontre aussi avant l'année 1100. En voici un exemple admirable emprunté à un texte bien daté. En 1074, au moment où Grégoire VII projetait une croisade pour venir au secours de Byzance, l'archevêque de Salerne, Alfan, écrivait dans une pièce en distiques adressée à Gui, frère de Gisolf, prince de Salerne :

> Quam cuperem posses poteris puto Caesar ut orbem
>   Constantinopolis subdere regna tibi [1].

C'est très exactement le style énigmatique du *Carmen*. Il n'est donc pas impossible que celui-ci soit sensiblement plus ancien qu'on ne le supposait en un temps où l'on hésitait à placer *la Chanson de Roland* elle-même avant 1100. Pour ma part, je verrais volontiers en lui le plus vieux témoin de la plus vieille version de notre *Chanson*.

Mais revenons à celle-ci. Par qui, en quel lieu fut-elle composée? La lecture du poème nous révèle un certain nombre de traits de la personnalité de l'auteur. C'était un clerc, sans aucun doute. Il connaissait les Ecritures. Les prodiges qui annoncent la mort de Roland ressemblent beaucoup à ceux qui accompagnent la mort du Christ dans

---

1. *Archivio storico per le provincie napolitane*, t. XII, p. 776 :
Comme je voudrais que tu le puisses, tu pourras, je pense, comme César fit le monde,
Te soumettre les royaumes de Constantinople.

les Evangiles. J. Bédier a fait remarquer que
l'éloge décerné à Turpin :

2255   Dès les apostles ne fut hom tel prophète

paraît traduit d'une phrase de *Deutéronome*
(34, 10) : « *et non surrexit ultra propheta
in Israel sicut Moyses* ». W. Tavernier [1]
avait déjà montré la solide connaissance que notre
auteur avait de la liturgie, singulièrement de la
de la liturgie funèbre, et aussi de la symbolique
chrétienne. Quand Roland implore Dieu (v. 1856)
pour qu'il couche ses compagnons parmi les saintes
fleurs, lorsque Charles demande que l'âme de
Roland soit mise au sein des fleurs (2898), l'un
et l'autre emploient le jargon de cette symbolique
d'après lequel le jardin signifie la vie éternelle et
fleurir est synonyme de ressusciter. Les images
qu'emploient Turpin ou Roland pour parler de la
gloire des cieux, comme les *sièges* (v. 1135), les
portes (2258) du Paradis sont celles même de la
liturgie. Les prières que récite Roland ne sont
qu'une suite de formules liturgiques copiées du
latin ; la scène de sa mort se déroule conformément
au rituel des agonisants, conformément à l'*Ordo
commendationis animae*. Le poète du *Roland* était
un clerc [2].

---

1. *Zur Vorgeschichte des altfranzösischen Rolandsliedes.*
2. M. E. Faral, dans son livre sur *la Chanson de Roland* (pp. 186-199), a relevé avec beaucoup de soin toutes les sources cléricales du poème.

C'était un clerc de la France du Nord, plus précisément de la partie occidentale de la *Francia* située au nord de la Seine. Il est en effet une institution qui tient dans la *Chanson* une place essentielle et qui nous conduit tout droit dans cette région du royaume, celle des douze pairs. Cette institution est de nature féodale. Elle apparaît dans les textes au milieu du XIe siècle et à cette date elle est déjà solidement constituée; son origine est assurément plus ancienne. Voici comment la définit P. Guilhiermoz dans son *Essai sur les origines de la noblesse en France au moyen âge* [1] : « Dans toute la région flamande et picarde [2] on trouve une catégorie supérieure de vassaux auxquels, dès le milieu du XIe siècle, on voit donner spécialement, et techniquement, le nom de *pairs,* quelquefois remplacé par le nom de *barons,* qui plus ordinairement lui est simplement accolé. Or ces pairs, dont les fiefs s'appelaient des *pairies,* présentaient les caractères suivants. Ils étaient normalement au nombre de douze dans chaque unité seigneuriale, dans chaque châtellenie. Ils étaient les jugeurs de la cour féodale du seigneur... C'est certainement leur situation judiciaire qui explique que le nom de *pairs* leur ait été donné. Quant aux autres vassaux, pendant longtemps ils

---

[1]. P. 175, *sqq*.
[2]. L'institution et le nom paraissent avoir eu une extension un peu plus large. P. Guilhiermoz en cite lui-même un exemple à la Ferté-Milon.

n'eurent pas de nom technique : on les appelait de différents termes ayant le sens de vassaux... tantôt en exprimant, tantôt en sous-entendant un mot ayant le sens de *autres*. »

Point n'est besoin d'insister sur le rôle éminent que jouent les douze pairs dans *la Chanson de Roland* et qu'ils jouaient déjà dans la première version. Mais ce qui est tout à fait remarquable, c'est que dans deux descriptions d'assemblées tenues par Charlemagne, dans deux passages que la marche du récit fait apparaître aussi nécessaires à la plus ancienne version qu'à la nôtre, le poète emploie précisément cette expression technique très particulière « les autres », que signale Guilhiermoz dans les textes et diplômes picards. A la laisse VIII, nous lisons :

> 103 Li empereres est en un grant verger,
> Ensembl'od lui Rollant e Oliver,
> Sansun li dux et Anseïs li fiers,
> ....
> La u cist furent, des *altres*[1] i out bien[2].

Et voici la laisse LIV :

> 669 Li empereres est par matin levet ;
> Messe e matines ad li reis escultet.

---

[1]. J. Bédier traduit par « autres ». La traduction exacte est « chevaliers ».
[2].   L'empereur est dedans un grand verger
Avec lui sont Roland et Olivier,
Samson le duc et Anseïs le fier,
....
Et avec eux nombre de chevaliers.

Sur l'erbe verte estut devant sun tref.
Rollant i fut e Oliver li ber,
Neimes li dux e des *altres* asez [1].

Notre auteur connaissait donc parfaitement non seulement la hiérarchie féodale des régions de l'Oise et de la Somme au XIe siècle, mais même le vocabulaire très spécial employé dans les chartes et diplômes de cette région. Sa patrie était là.

Est-ce là qu'il a travaillé, et écrit son chef-d'œuvre ? Aux environs de l'an 1000 nous connaissons trois foyers principaux de fidélité carolingienne dans le royaume de France : la cour des ducs d'Aquitaine, celle des comtes de Vermandois, et enfin le siège métropolitain de Sens. A Poitiers, la foi carolingienne, incontestable, semble avoir été assez tiède et peu agissante. Le duc Guillaume V s'est plus servi de la cause carolingienne qu'il ne l'a servie. *A priori,* c'est dans l'entourage des comtes de Vermandois que l'on placerait le plus volontiers l'auteur de la *Chanson.* Celui-ci, nous avons tout lieu de le penser, était originaire de ce pays ou d'un pays voisin. D'autre part, Albert de Vermandois, qui était comte en 987, était un partisan dévoué des Carolingiens. Sa femme Gerberge était la sœur du roi Lothaire. Après l'élection de

---

1. L'empereur s'est levé de grand matin.
Il a matines et la messe écouté.
Sur l'herbe verte il est devant sa tente
Roland est là, Olivier le baron,
Neimes le duc, beaucoup de chevaliers.

987, il se mit en état de révolte ouverte. Mais Hugues réunit son armée, et devant la menace de l'invasion, Albert sollicita la médiation de Richard de Normandie, livra des otages, se soumit et mourut la même année. Quelle fut l'attitude de son fils et successeur, Herbert III de Vermandois ? Je vais revenir sur ce personnage. Mais auparavant, considérons le troisième refuge de la fidélité carolingienne, l'archevêché de Sens. L'archevêque Séguin n'assista ni à l'élection, ni au sacre de Hugues ; il ne lui prêta pas serment. L'année suivante, il est vrai, il n'osa ni refuser de se rendre à l'assemblée de Compiègne ni même s'opposer à l'excommunication de Charles de Lorraine ; néanmoins, jusqu'à sa mort, survenue en 999, Sens resta un foyer d'opposition contre la nouvelle dynastie. La tendance de l'*Historia Francorum Senonensis*, écrite peu après 1015, montre que cette opposition lui survécut.

Peut-on supposer que c'est là que la première *Chanson de Roland* aurait été écrite ? Une circonstance le donnerait à penser : le choix du nom d'un des principaux personnages du poème, celui du traître Ganelon. Il y a longtemps que l'on a rapproché le Ganelon de Roncevaux de Wanilo, archevêque de Sens, que Charles le Chauve dénonça comme traître au concile de Savonnières en 859 et accusa de l'avoir trahi pour de l'argent au profit de Louis le Germanique ; et à qui d'ailleurs il pardonna peu après. J. Bédier, après G. Paris n'exclut pas ce rapprochement et admet que le nom de l'archevêque du ix° siècle a pu subsister « dans l'usage des clercs, comme nom typique de traître ». Je me demande si l'on ne peut pas être plus précis et si le poète de *la Chanson* n'a pas agi avec Ganelon de Sens exactement comme avec Turpin de Reims et Gautier de Laon. Ces deux derniers, ai-je dit plus haut, sont la réplique idéale, destinée à flétrir leurs modèles à rebours, des traîtres Adalbéron de Reims et Ascelin de Laon. Par un procédé identique et une opération inverse, le traître et cupide Ganelon de Sens ne serait-il pas évoqué pour exalter par contraste la loyauté et le désintéressement de son successeur Séguin de Sens ? De toute manière, la présence du nom de Ganelon nous amène à penser que notre poète, en tout cas, a été en mesure de connaître l'histoire et les traditions de l'église de Sens.

Je crois que de grandes clartés seront jetées sur ce problème, si l'on admet une hypothèse qui a été formulée par M. Ferdinand Lot il y a quelque cinquante ans [1]. M. Lot proposait d'identifier Herbert comte de Troyes avec Herbert III comte de Vermandois, fils du comte Albert. Cette hypothèse très séduisante élimine la plupart des obscurités. Autant le personnage d'Herbert III est obscur, autant celui d'Herbert de Troyes est bien connu des historiens. Il apparaît sur la scène en

---

[1]. *Les Derniers Carolingiens*, p. 371 *sqq.*

985, date à laquelle il reçoit du roi Lothaire l'investiture du comté de Troyes, tandis que son cousin Eudes de Chartres reçoit celle du comté de Meaux : les deux cousins se partageaient ainsi l'héritage de leur oncle Herbert le Vieux [1]. A partir de ce moment, les deux cousins, Herbert et Eudes sont inséparables. Ensemble ils participent à la prise de Verdun par Lothaire en 985 et reçoivent la garde des prisonniers de marque faits dans la ville et notamment celle de Godefroi de Verdun, frère de l'archevêque Adalbéron. Ensemble, deux ans après, ils préparent une expédition pour s'emparer près de Liége de l'impératrice Théophano. Ensemble ils prennent le parti de Charles de Lorraine. Leurs destinées devaient rester liées jusqu'au bout : ils meurent la même année, en 995.

Si Herbert III de Vermandois, qui succéda à son père en 987, est identique à Herbert, comte de Troyes depuis 985, nous comprenons comment un clerc-poète du Vermandois a pu entrer en contact avec l'entourage de l'archevêque de Sens. Troyes et Sens relevaient, en effet, à la fin du Xe siècle, l'une et l'autre du duché de Bourgogne, et l'évêché de Troyes faisait partie de la province de Sens. Les deux villes voisines se trouvaient donc étroitement unies par des liens féodaux et ecclé-

---

[1]. Dans le système de M. Lot, Albert de Vermandois, père de Herbert III, et Leudegarde, mère d'Eudes de Chartres, sont le frère et la sœur d'Herbert le Vieux.

siastiques, sans parler de leur fidélité commune à
la cause des Carolingiens.

L'hypothèse est incertaine, bien entendu, comme
toutes les hypothèses de cette nature. Elle mérite
cependant quelque attention, car lorsqu'on considère la destinée d'Eudes de Chartres et d'Herbert
de Troyes, irrésistiblement on évoque l'amitié che-
valeresque d'Olivier et de Roland. L'idée s'impose
d'autant plus que Herbert III, par sa mère Gerberge, était le neveu de Lothaire, tout comme
Roland était le neveu de Charlemagne. Si c'est un
poète du parti carolingien qui a composé, à la fin
du xe siècle, la première *Chanson de Roland,* il
est en tout cas peu vraisemblable que la destinée
des deux comtes n'ait pas éveillé son imagination.
Elle paraît avoir frappé en effet profondément celle
des contemporains. Raoul Glaber signale leur mort
parmi les signes précurseurs des terreurs de l'an
mille [1]. Or, comment ne pas rappeler ici les prodiges
qui signalent la mort d'Olivier et de Roland dans
la *Chanson* et que le commun interprète précisément comme l'annonce de la fin du monde? La
coïncidence, on l'avouera, méritait d'être signalée.

Telles sont les vraisemblances — il ne saurait
être question de certitudes — que l'on peut réunir
concernant la plus vieille *Chanson de Roland.* Un
clerc, élevé dans le nord de la France, quelque part
entre le Laonnais et la Picardie, entreprit aux

---

[1]. *Chronique,* II, 7.

environs de l'an 1000, peut-être au retour d'un pèlerinage à Saint-Jacques de Compostelle, d'écrire un poème sur l'affaire de Roncevaux. Il vivait au milieu de partisans de la dynastie déchue, vraisemblablement dans la région de Troyes et de Sens. Il partageait lui-même leurs regrets, leur colère, leur indignation. Il voulut les traduire dans son œuvre. Celle-ci en fut animée, vivifiée, passionnée. Et c'est pourquoi sans doute elle fut un chef-d'œuvre. Et c'est pourquoi notre clerc devint notre premier grand poète.

IX

BLANCANDRIN, LES NORMANDS D'ITALIE ET *LA CHANSON DE ROLAND*

Si l'on entreprend de suivre ou plutôt de reconstituer la destinée de *la Chanson* à partir de son apparition, les premières questions qui viennent à l'esprit concernent l'épisode de Blancandrin. Cet épisode ne figurait certainement pas dans le premier poème. Il doit être cependant relativement ancien, car nous le lisons dans toutes les versions qui nous sont parvenues, et notamment dans celle de la *Karlamagnussaga,* la plus archaïque de toutes, de l'aveu même de J. Bédier. Quand, où, pourquoi a-t-il été inséré dans le poème?

La réponse à la question de temps est relativement aisée. Il suffit d'appliquer au texte de *la Chanson* les méthodes de la critique historique. Il est en effet possible de déterminer au moins la date avant laquelle l'épisode n'a pu être écrit.

Sur la route de Saragosse, Blancandrin et Ganelon parlent de Charlemagne. « Qui encourage l'ambition démesurée de Charles? » demande le païen. « Personne, sinon Roland », répond Ganelon. Et il cite l'anecdote suivante :

383 Er matin sedeit li empereres suz l'umbre,
Vint i ses niés, out vestue sa brunie,
Et out predet dejuste Carcasonie ;
En sa main tint une vermeille pume :
Tenez, bel sire, dist Rollant a sun uncle,
De trestuz reis vos present les curunes [1].

L'auteur de ce passage n'est pas l'inventeur de la pomme vermeille et symbolique. Car cette histoire a une source certaine, qui, je crois bien, n'a pas encore été signalée. Nous lisons au chapitre V du Livre premier des *Histoires* de Raoul Glaber : « Quoique l'insigne de la dignité impériale eût reçu déjà différentes formes, le vénérable pape Benoît [2] en fit faire un dont la figure était entièrement allégorique. On façonna, par son ordre, une pomme d'or entourée de quatre côtés des pierres les plus précieuses, et surmontée d'une croix d'or. Elle représentait ainsi la figure du monde, qu'on nous peint en effet sous la forme d'un globe... Le pape Benoît s'étant donc avancé selon l'usage, avec un cortège nombreux de citoyens et d'ordres religieux, au-devant de l'empereur Henri [3] qui venait à Rome à cet effet, lui remit entre les mains, à la vue de tout le peuple, ce sym-

---

1. Un matin, l'empereur était assis à l'ombre,
Son neveu vint, revêtu de sa broigne,
Il avait pillé près de Carcassonne.
Il tenait en sa main une pomme vermeille :
« Tenez, beau sire, dit Roland à son oncle,
De tous les rois je vous présente les couronnes. »
2. Benoît VIII (1012-1024).
3. En 1014.

bole de la puissance impériale. » L'auteur ajoute que l'empereur envoya aussitôt à Cluny cet étrange présent. Le Livre premier des *Histoires* fut écrit entre 1031 et 1033, pendant le séjour de Raoul Glaber à Cluny. Mais il ne fut sans doute connu qu'après 1045, avec le reste de l'ouvrage en cinq livres. C'est donc après cette date que fut rédigé l'épisode de Blancandrin : première indication.

La conversation entre Ganelon et l'ambassadeur de Marsile nous fournit une seconde précision :

> 370 Dist Blancandrins : « Merveillus hum est Charles,
> Ki conquist Puille et trestute Calabre !
> Vers Engleterre passat-il la mer salse
> Ad oes seint Perre en cunquist le chevage. »

Ici l'allusion historique est transparente. Il s'agit évidemment de la conquête par les Normands de l'Italie méridionale, de la Pouille, de la Calabre et de l'Angleterre. La première était terminée en 1059. La seconde eut lieu en 1066 avec l'appui et la bénédiction de la papauté qui se fit promettre en contre-partie par le conquérant le paiement du « chevage », c'est-à-dire du denier de Saint-Pierre. Comme l'écrit très justement M. R. Fawtier[1] : « si Charlemagne nous est donné comme ayant conquis « pour Saint-Pierre » le chevage de l'Angleterre, c'est qu'évidemment il venait d'être question de ce dernier et que l'on

---

1. *La Chanson de Roland*, p. 101.

voulait louer Guillaume le Bâtard de suivre ou d'avoir suivi l'exemple de Charlemagne ». On voulait surtout affirmer les droits du Saint-Siège auxquels le Conquérant et le pape ne donnaient ni le même sens ni la même portée. Ce qui permet de conclure que selon toute vraisemblance le texte fut écrit dans les années qui suivirent l'expédition de 1066.

Il le fut dans un pays méridional. Car lorsqu'on lit l'épisode de Blancandrin, on voit apparaître l'un après l'autre les principaux traits caractéristiques du paysage méditerranéen : le verger ombreux où l'on se réunit, les oliviers, les larges pins donneurs d'ombre, les ifs, les mules, les chameaux :

11 Alez en est en un verger suz l'umbre [1].
159 El grant verger fait li reis tendre un tref.
93 Enz en lur mains portent branches d'olive.
366 Guenes chevalchet suz une olive halte.
168 Li empereres s'en vait desuz un pin.

405 Tant chevalcherent e veies e chemins
Qu'en Saragosse descendent suz un if.
Un faldestoet out suz l'umbre d'un pin [2].

89 Dis blanches mules fist amener Marsilies.
129 Set cenz cameilz e mil hosturs muez
D'or et d'argent IIII cenz muls trussez [3].

---

[1]. En ce passage, la *Karlamagnussaga* et la version assonancée de Venise parlent d'un olivier.

[2].   Ils ont tant chevauché par voies et par chemins
Qu'ils vont à Saragosse descendre sous un if.
A l'ombre d'un pin un trône est placé.

[3].   Sept cents chameaux et mille autour mues
Et quatre cents mulets chargés d'or et d'argent.

Ces traits méditerranéens se pressent dans l'épisode de Blancandrin. Ils disparaissent dans la suite du récit, pour reparaître, plus clairsemés, dans l'épisode de Baligant. Mais cette dernière partie du poème est de beaucoup la plus récente, elle est inspirée par l'histoire des croisades; son auteur « renouvelait » une *Chanson de Roland* plus ancienne qui comportait déjà l'histoire de Blancandrin; il n'y a pas lieu d'en tenir compte. Où notre poète s'est familiarisé avec ce paysage? Mais, dira-t-on, ce paysage, c'est tout simplement celui de la vallée de l'Ebre, dans la région de Saragosse. Sans doute, mais pendant toute la seconde moitié du xie siècle, combien de Français, combien de poètes français ont pénétré dans la région de Saragosse? Les croisés gascons, champenois, bourguignons et normands qui venaient se battre pour la défense de l'Aragon et de la Navarre luttaient encore à cette date dans les vallées pyrénéennes dont les Sarrasins défendaient les débouchés. Quant à la route de Saint-Jacques, elle n'offrait dans la traversée de la Navarre, balayée par les souffles de l'Atlantique, aucun trait méditerranéen aux yeux des pèlerins.

Mais point n'est besoin de chercher la terre où le poète de Blancandrin, lequel a la hantise de l'ombre, comme tout habitant des pays chauds, a fait connaissance avec les ifs, les grands pins et les oliviers. Les précisions géographiques et historiques qu'il nous donne lui-même sur la Pouille et sur la Calabre nous indiquent qu'il faut porter nos regards vers l'Italie méridionale, vers la Sicile, vers les terres méditerranéennes conquises au XIe siècle par les Normands. Nous savons déjà que ceux-ci [1] considéraient Roland et Olivier comme des héros dignes de donner leurs noms à des montagnes. Ils connaissaient *la Chanson de Roland*. Il est naturel qu'un remanieur l'ait pour eux adaptée à leurs goûts, à leurs préoccupations. Nous avons d'ailleurs d'autres indices qui permettent de déceler l'origine italo-normande de l'histoire de Blancandrin.

Le premier est la place éminente que tient dans cet épisode la fête de Saint-Michel du Péril de la Mer [2]. Or, les conquérants de l'Italie méridionale, les fils de Tancrède de Hauteville étaient tout justement originaires du Cotentin. Il est naturel que le remanieur italo-normand ait tenu à magnifier le rôle du saint normand, lequel était d'ailleurs également vénéré au Monte Gargano.

On sait que la Pouille et la Calabre furent longtemps soumises à l'autorité de Byzance; celle-ci ne fut même définitivement éliminée que par les Normands. Si donc l'épisode de Blancandrin a pris naissance en Italie normande, nous devons y trouver quelque trace de l'influence byzantine. C'est en effet le cas. Comment Mar-

---

1. Cf. Chap. V, p. 112.
2. Vers 53 et 152.

sile entend-il payer son tribut à Charlemagne ? Avec des pièces d'or de Byzance, avec des « besants » :

> 132 Tant i avrat de besanz esmerez,
> Dunt bien purrez vos soldeiers luer [1].

Ce n'est pas tout. Il y a dans le récit deux personnages dont le souvenir joue un grand rôle ; il s'agit des deux frères, les comtes Basan et Basile. Dans la délibération qui se termine par l'envoi de Ganelon à Saragosse, Roland rappelle que Marsile a déjà fait des propositions de paix ; Charles lui envoya alors deux messagers qu'il fit décapiter :

> 207 Dous de voz cuntes al paien tramesistes,
> L'un fut Basan e li altres Basilies :
> Les chef en prist es puis desuz Haltilie [2].

Ce forfait est encore évoqué par l'empereur dans sa lettre à Marsile :

> 488 Carle me mandet, ki France ad en baillie,
> Que me remembre de la dolur e de l'ire,
> Ço est de Basan e de sun frere Basilie,
> Dunt pris les chefs as puis de Haltoïe [3].

---

1. Vous recevrez tant de besants d'or pur
Que vous pourrez payer tous vos soldats.
2. Vous envoyâtes au païen deux de vos comtes,
L'un fut Basan et le second Basile.
Il prit leurs têtes, là-haut, sous Haltilie.
3. Charles me mande, qui gouverne la France,
Que je n'oublie sa douleur, sa colère.
Il s'agit de Basan, de son frère Basile.
Je pris leurs têtes, là-haut, à Haltoïe.

Or, les noms des deux comtes sont tout à fait caractéristiques. Que Basile soit un nom grec, point n'est besoin de le démontrer, ni que son usage était au XIe siècle courant en Italie méridionale. Mais si l'origine byzantine de Basile est incontestable, celle de Basan, à mon avis, ne l'est pas moins, car Basan ou Basant n'est, selon toute vraisemblance, qu'une autre forme de « besant », c'est-à-dire de byzantin. Basant et Basile achèvent de situer l'épisode de Blancandrin.

Il est possible, je crois, de trouver une confirmation et une précision supplémentaires dans la *Karlamagnussaga*. L'auteur de la compilation noroise traduisait une version de *la Chanson de Roland,* plus ancienne certainement que la version d'Oxford. Voici comment dans cette version Blancandrin parle des conquêtes de Charlemagne : l'empereur, dit-il, « a soumis à son pouvoir tout l'empire romain, la Pouille, la Calabre, Constantinople, la Saxe [1], l'Angleterre et l'Islande ». Ne nous occupons pas de l'Islande introduite ici sans doute par le patriotisme du traducteur norois, ni de l'Angleterre, de la Pouille et de la Calabre qui figurent également dans le texte d'Oxford. La mention de Constantinople et celle de la Saxe, en

---

1. Dans l'énumération des conquêtes que Roland a faites avec Durendal, on lit dans la version d'Oxford les deux vers suivants qui ne sont peut-être qu'une réminiscence de la version plus ancienne :

2329 Costentinnoble, dunt il out la fiance,
E en Saisonie fait il co qu'il demandet

revanche, sont très significatives. Elles nous transportent en un temps et en un lieu où il importait d'affirmer la subordination de la Saxe, c'est-à-dire de l'Allemagne, de Constantinople, de tout l'empire romain à l'autorité de Charlemagne, plus exactement à celle de Rome où le roi des Francs et des Lombards avait été couronné par le pape. Et le passage de la *Karlamagnussaga* prend en effet tout son sens si nous nous plaçons à Rome et en Italie méridionale environ l'année 1080. A ce moment, le pape Grégoire VII et le duc Robert Guiscard sont unis par une alliance étroite. Le premier s'appuie sur le second dans sa lutte contre l'empereur Henri IV qu'il vient de déposer au Concile de Rome et contre l'antipape Clément III. Il songe peut-être à faire de Robert un empereur romain. Le duc s'appuie sur l'autorité du pape dans son entreprise contre Byzance où il pense sans doute conquérir par une autre voie la couronne impériale. Si le pape et le duc avaient réussi, *tout* l'empire romain, de la Saxe à Constantinople, sans parler de l'Angleterre, de la Pouille et de la Calabre, aurait en effet été réuni sous l'autorité de Rome comme aux temps légendaires du Charlemagne de l'épopée. Et les conquêtes imaginaires de celui-ci ne sont sans doute évoquées que pour justifier l'entreprise. L'épisode de Blancandrin a donc été écrit vers l'an 1080 dans l'Italie normande, au cours des dernières années du duc Robert et du pape Grégoire VII.

Cette date et ce lieu nous aident d'ailleurs à comprendre le sens de l'histoire. Car celle-ci a une signification politique, bien entendu. Faut-il ou ne faut-il pas négocier et traiter avec les infidèles ? Tel est en effet le débat qui remplit toute cette partie de notre *Chanson de Roland* et lui donne sa véritable portée. Non, déclare Roland ; malheur si vous faites confiance aux païens !

> 196 Il dist al rei « ja mar crerez Marsilie !
> ....
> Faites la guer cum vos l'avez enprise... » [1].

C'est orgueil, c'est folie, réplique Ganelon, de repousser la soumission des Sarrasins :

> 226 Qui ço vos lodet que cest plaid degetuns,
> Ne li chalt, sire, de quel mort nus muriuns.
> Cunseill d'orguill n'est dreiz que a plus munt ;
> Laissun les fols, as sages nus tenuns ! [2].

Le duc Naimes et l'empereur se rangent à cet avis. On négociera avec Marsile, on enverra un messager à Saragosse. Et ce sera l'origine de tous les malheurs. Car notre poète est manifestement, lui aussi, d'avis que c'est crime de pactiser avec

---

1. Il dit au roi : « Croire Marsile serait fou !
    ....
    Faites la guerre, comme jusqu'à présent... »
2. Qui vous conseille de rejeter cette offre
    Se moque bien, sire, de notre mort.
    Il ne faut pas que le conseil d'orgueil l'emporte.
    Laissons les fous et tenons-nous aux sages.

les païens. Peut-être est-ce lui qui a écrit ces deux vers, à propos de la prise de Cordres :

> 101 En la citet nen ad remés païen
> Ne seit ocis u devient crestien [1].

Sa thèse en tout cas est claire. Le païen le plus sage, le plus courtois, le plus brave, tel Blancandrin, est par essence un traître et un félon. Rien ne peut garantir une promesse faite, un engagement pris par lui, rien, pas même l'envoi d'otages choisis parmi les êtres les plus chers :

> 40 S'en volt ostages, e vos l'en enveiez,
> U dis u vint, pur lui afiancer.
> Enveiuns i les filz de nos muillers :
> Par num d'ocire i enveierai le men [2].

Les vingt otages livrés par Marsile à Charlemagne n'empêcheront pas la trahison.

Cette question des rapports entre princes musulmans et chrétiens s'est au moyen âge posée partout où l'Islam et la chrétienté ont été en lutte et en contact. L'histoire de la *reconquista* est pleine de compromissions avec les infidèles ; maintes fois les princes chrétiens du nord de l'Espagne ont accepté de payer tribut aux émirs et aux khalifes ;

---

1. En la cité il n'est resté païen.
   Qui ne soit mort ou devienne chrétien.
2. Veut-il des otages, vous en enverrez
   Ou dix ou vingt, pour le mettre en confiance.
   Envoyons-lui les enfants de nos femmes,
   Dût-il mourir, j'y enverrai le mien.

mainte fois un fils ou un frère a fait appel contre
eux à l'aide des Sarrasins. Au XII° et au XIII° siècles, en Syrie, les tractations n'ont pas manqué entre
barons francs et émirs musulmans. Nulle part
cependant la question ne s'est posée avec autant
de netteté qu'en Sicile, au moment de la conquête
normande, entre 1060 et 1090. Sans doute la conquête de l'île, comme toutes les entreprises chrétiennes en terre d'Islam au moyen âge, fut mar-
quée à plusieurs reprises par des brutalités, sacs
de villes et massacres. Mais aucune assurément ne
comporta autant de négociations, d'accommode-
ments et de compromis. Elle débuta même en 1059
par une tractation secrète avec l'émir de Syracuse
qui vint en Calabre faire appel aux Normands en
offrant, comme Blancandrin, son fils en otage au
comte Roger. Et elle se termina par l'établisse-
ment en Sicile d'un régime de large tolérance. Le
principal artisan de la conquête, le comte Roger,
respecta les mœurs, les coutumes et la religion des
trois groupes qui se partageaient l'île : les Grecs,
les Latins et les musulmans. La vie des premiers
continua à être réglée par le code Justinien, celle
des derniers par le Coran. Ainsi naquit cette
étrange civilisation sicilienne qui fut un des miracles du moyen âge.

On peut penser cependant que cette politique
ne fut pas sans susciter des inquiétudes, des
craintes, des avertissements et des discussions. Et
c'est sans doute leur écho que nous entendons dans

l'épisode de Blancandrin, œuvre de quelque clerc
intransigeant, premier « remanieur » de *la Chanson de Roland*.

Ce premier « remanieur », dont il faut reconnaître d'ailleurs l'immense talent, borna-t-il là son
entreprise de renouvellement? La question se pose
et voici pourquoi. Il existe dans la version d'Oxford de *la Chanson de Roland*, en dehors de l'épisode de Blancandrin, un morceau qui paraît singulièrement parent de celui-ci. Ce passage se place
dans la complainte de Charlemagne sur la mort
de son neveu; l'empereur évoque les conséquences
de la mort de son meilleur capitaine :

> 2921 Encuntre mei revelerunt li Seisne
> E Hungre et Bugre e tante gent averse,
> Romain, Puillain e tuit icil de Palerne
> E cil d'Affrique e cil de Califerne.

Cette énumération des peuples dont l'empereur
redoute la révolte, nous conduit à nouveau tout
droit en Italie normande. La chose est évidente
pour les « Puillain », les gens de la Pouille, pour
ceux de Palerme, « icil de Palerne » et aussi pour
les Romains révoltés en 1083 contre Grégoire VII
et ses protecteurs normands dont l'intervention
victorieuse contre les troupes de l'empereur
Henri IV s'était terminée par l'incendie et le pillage. Elle est claire pour « cil d'Affrike » qui sont
les musulmans de Tunisie, alliés et vaguement
suzerains de ceux de Sicile, et même pour « cil de

Califerne ». Je crois en effet, avec M. H. Grégoire[1] que Califerne doit être identifiée avec Céphalénie, occupée par Robert Guiscard et les Normands au cours de la campagne d'Épire. Quant aux « Seisnes », aux Saxons, aux « Hungres » et aux « Bugres », leur présence dans cette énumération de rebelles s'explique tout naturellement; les premiers ont été de 1080 à 1085 les adversaires du pape et des Normands; les Hongrois et les Bulgares, de leur côté, étaient les ennemis traditionnels de l'empire de Byzance que Charlemagne est censé avoir dominé et dont Robert Guiscard avait entrepris la conquête ou plutôt la soumission au nom de l'empereur légitime Michel Ducas, détrôné en 1078. Les vers 2921-2924 de la *Chanson* correspondent ainsi exactement eux aussi à la situation de l'Italie méridionale pendant les dernières années de Grégoire VII et de Robert Guiscard. Et la seule explication plausible de leur présence en cet endroit est qu'ils représentent un lambeau d'une rédaction italo-normande plus ancienne, une épave recueillie par l'auteur de la version de 1158. Mais, dans ce cas, il faut aussi se dire que le remanieur italo-normand ne s'était peut-être pas borné à insérer, au début, l'épisode de Blancandrin. D'autres parties du poème avaient pu, elles aussi, être « renouvelées » par lui.

---

1. *La Chanson de Roland et Byzance*, Byzantion, XIV, p. 309.

Interrogeons donc la plus ancienne version de la *Chanson*, où se rencontre l'épisode de Blancandrin. Cette version, qui nous est parvenue par la voie détournée d'une traduction est celle qui a pris place dans la *Karlamagnussaga*. Or, cette version ne comprend pas seulement l'épisode de Blancandrin. Elle comporte encore une fin profondément différente de celle que nous lisons aujourd'hui dans la version d'Oxford [1], où elle a été remplacée par l'épisode de Baligant. On peut et on doit se demander en conséquence, si le début de la version noroise formé par l'histoire de Blancandrin et la fin de cette même version, ne sont pas solidaires, s'ils ne résultent pas d'un seul et même remaniement de la *Chanson* primitive, le premier sans doute. En d'autres termes, si la version noroise ne serait pas la transcription pure et simple d'une version italo-normande de *la Chanson de Roland*, rédigée au XIe siècle?

La fin de la version noroise est formée par trois épisodes originaux. Le premier concerne le sort de Durendal; les chevaliers envoyés par Charlemagne ne peuvent l'arracher à la main de Roland; l'empereur seul, après avoir prié, peut la reprendre à son neveu; il en garde précieusement le pommeau, plein de reliques; mais il jette la lame dans le torrent parce que personne n'est digne de la

---

[1]. On peut lire la traduction française de cette fin dans : Léon GAUTIER, *la Chanson de Roland*, 1872. t. II, pp. 249-52.

porter après Roland. Le second a trait à la sépulture des chevaliers morts à Roncevaux : Charles ne sait comment reconnaître les cadavres des païens; après une nuit passée en prières, il trouve au matin les corps des païens couverts de buissons d'épines. Ni l'un ni l'autre de ces deux épisodes ne peut nous donner aucune indication. Il n'en est peut-être pas de même du troisième. Celui-ci raconte comment Charlemagne fait mettre en bière le corps de Roland et ceux des douze pairs. L'empereur se met ensuite en marche et, avec toute son armée, accompagne les corps jusqu'en Provence, jusqu'à Arles où ils sont ensevelis en grande pompe, aux Aliscamps.

Cet itinéraire insolite éveille l'attention. Toutes les autres versions de *la Chanson de Roland* conduisent en effet Charlemagne, après Roncevaux, à Bordeaux d'abord, où l'olifant de Roland que l'on montrait aux pèlerins était déposé dans l'église de Saint-Seurin, à Blaye ensuite, où Roland était enseveli et où l'on voyait son tombeau. L'itinéraire bordelais est certainement le plus ancien. Mais au xiie siècle, les deux étaient déjà vénérables et l'auteur de la *Chronique de Turpin* n'a pas osé choisir entre eux : il a fait passer Charlemagne successivement à Bordeaux, à Blaye et à Arles. Sans doute le transfert des douze pairs sur les bords du Rhône s'explique assez naturellement : la cité d'Arles était une des étapes du pèlerinage de Saint-Jacques de Compostelle, le long de la *via tolosana,* magistralement jalonnée par Joseph Bédier. Il est normal que, sur cette route, on ait voulu montrer aux pèlerins de Saint-Jacques, dont beaucoup allaient franchir ou avaient franchi les Pyrénées à Roncevaux, des reliques aussi vénérables que celles que les pèlerins de la route occidentale pouvaient contempler sur les bords de la Garonne et de la Gironde. Mais cela dit, il n'est pas interdit de remarquer que les routes de la basse vallée du Rhône ne menaient pas seulement à Saint-Jacques. Elles conduisaient aussi aux ports d'embarquement pour Rome, pour la Terre Sainte et enfin pour l'Italie méridionale. Elles ouvraient aux pèlerins et aux aventuriers les voies de la Méditerranée. Et cette circonstance attire de nouveau les regards vers l'Italie normande.

Elle mérite d'autant plus de nous arrêter qu'il existait au XIIe siècle des relations suivies et précisément d'ordre littéraire entre la Provence d'une part et les Normands de Pouille, de Calabre et de Sicile de l'autre. Les deux régions communiaient d'abord dans le culte poétique de Roland. En Provence le principal foyer de ferveur semble avoir été l'abbaye de Saint-Victor de Marseille, qui, par une coïncidence bien remarquable était, pour une part, propriétaire des Aliscamps d'Arles où la *Karlamagnussaga* fait ensevelir les douze pairs. C'est, rappelons-le, une charte de l'abbaye de Saint-Victor, datée de 1055, qui mentionne deux témoins qui s'appellent Roland et Olivier. Et nous avons un indice encore plus précis de cette communauté littéraire entre les rivages calabrais et provençaux. Nous lisons dans la *Chronique* de Roger de Hoveden, à la fin du XIIe siècle, qu'il y avait près de l'abbaye de Saint-Victor deux hauteurs dont l'une s'appelait le mont de Roland et l'autre le mont d'Hospinel[1]. Ce nom d'Hospinel uni ainsi à celui de Roland est révélateur.

Hospinel est un prince sarrasin, plus connu sous le nom d'Otinel, qui est le héros d'une chanson de geste, *Otinel*[2], écrite vers l'an 1200, mais qui n'est que le remaniement d'une œuvre plus ancienne. Otinel est envoyé en ambassade par le roi païen Garsile ou Marsile qui vient de prendre et de piller Rome. Il porte à Paris une sommation insolente : Charlemagne abjurera la foi chrétienne et deviendra le vassal de Garsile. A cette condition, il gardera en fief *la Normandie et l'Angleterre*. Si Charlemagne refuse de se soumettre, le roi païen l'attendra avec son armée en Lombardie, dans une cité forte qu'il vient de fonder :

191 Païen l'apelent la cité d'Atilie.

L'aventure commence par un duel entre Otinel et Roland. Au cours du combat, le Saint-Esprit descend sur le païen sous la forme d'une colombe.

---

1. *Mon. Germ. Hist. SS*, t. XXVII, p. 150.
2. Ed. GUESSARD et H. MICHELANT (*Anciens poètes de la France,* 1859).

Otinel jette son épée et fait profession de foi
chrétienne. Avec lui l'armée se met en route vers
la Lombardie. Autour d'Atilie se livrent de grands
combats. Le roi païen est tué par Otinel. Atilie est
prise. Otinel épouse Bélissent, fille de Charlemagne, et règne sur le pays.

Tel est le preux que les moines de Saint-Victor
ont associé à Roland. Où se passent les aventures
dont il est le héros? — En Lombardie, déclare
le remaniement que nous possédons, en Lombardie, c'est-à-dire dans la vallée du Pô; Atilie se
trouverait en effet au delà du massif du Montferrat; et les chroniqueurs des XIII⁰, XIV⁰ et XV⁰ siècles ont seulement hésité pour savoir si la païenne
Atilie devait être identifiée avec Tortone ou avec
Serravalle. J. Bédier admet cette localisation [1].
Pour ma part, je la crois fausse ou tout au moins
récente. Car il y avait non pas une, mais deux
Lombardies, et je pense que la Lombardie dont il
était question dans la plus ancienne version d'*Otinel* était non pas celle du Pô, mais celle de l'Italie
méridionale que menaçaient et pillaient régulièrement les Sarrasins, celle que soumirent Robert
Guiscard et ses frères et dont le nom finit par sortir de l'usage après la conquête normande. Ce n'est
évidemment pas en effet dans la vallée du Pô que
le roi Garsile ou Marsile a d'abord pris pied, pour
ensuite marcher sur Rome. La géographie la plus

---

[1]. *Légendes épiques,* 3ᵉ édition, t. II, p. 269.

élémentaire s'oppose à cet itinéraire. Assez naïvement d'ailleurs, le texte même du poème nous dit où et quand le premier *Otinel* fut composé. Si Charlemagne se soumet, proclame le roi païen dans son défi, il conservera la Normandie et l'Angleterre. N'est-il pas évident que dans ce passage, comme dans l'épisode de Blancandrin, Charlemagne n'est que la préfiguration épique des conquérants normands ? Peut-on dire plus clairement que le défi de Garsile s'adresse aux Normands d'Italie sommés de rentrer dans leurs patries, l'ancienne et la nouvelle : la Normandie et l'Angleterre ? Cette dernière mention nous apprend en outre que la plus ancienne version d'*Otinel* dut être écrite peu après l'expédition de Guillaume le Bâtard tout comme, encore une fois, l'épisode de Blancandrin.

Cet épisode du *Roland* n'est-il pas d'autre part évoqué par le nom même de la ville païenne d'Atilie, laquelle naturellement est aussi légendaire que le personnage d'Otinel ? Ce nom qui se présente sous diverses formes : Atilie, Atille, Hatelie est singulièrement voisin de celui d'Haltilie que nous rencontrons dans l'histoire de Blancandrin, aussi voisin que l'est du nom de Marsile, celui du roi Garsile de *la Chanson d'Otinel*. C'est en effet « es puis desuz Haltilie » que furent décapités par Marsile les deux ambassadeurs de Charlemagne, les comtes Basant et Basile, que nous avons fortement et, je crois, légitimement soupçonnés d'être originaires de l'Italie méridionale. Nous lisons parallèlement dans *Otinel* que les noces d'Otinel et de Belissent doivent être célébrées « es prés sous Atylie » (v. 658). La ville fabuleuse d'Atilie se trouvait décidément en Lombardie méridionale et non dans la vallée du Pô.

Concluons : Otinel était comme Roland un héros favori des compagnons de Robert Guiscard. Et si les deux noms se trouvent unis dans la vénération des moines de Saint-Victor, c'est que la grande abbaye marseillaise entretenait de cordiales relations littéraires avec l'Italie normande. Nous avons d'ailleurs au moins un autre témoignage de cette union poétique entre la Provence et les possessions normandes de la péninsule. Un des héros de *la Chanson d'Apremont,* qui nous raconte la lutte soutenue en Calabre par Charlemagne contre le païen Agolant est Girard de Fraite, de Saint-Remi de Provence, non loin de la cité d'Arles.

A côté des relations littéraires, les rapports politiques. Précisément environ l'année 1080, dans le voisinage de laquelle nous avons placé la rédaction de la version italo-normande de *la Chanson de Roland,* des contacts personnels et politiques assez étroits s'étaient établis entre la Provence, l'Italie normande et la Papauté. En 1074, Grégoire VII demande, sans succès d'ailleurs, à Raymond de Saint-Gilles, marquis de Provence, son aide contre Robert Guiscard qu'il vient d'excommunier. Six ans plus tard, au moment où les chefs normands se réconcilient avec Rome, Raymond vient en Sicile et épouse Mathilde, la fille du comte Roger.

Ecrite dans cette atmosphère de cordialité spirituelle, la version italo-normande de *la Chanson de Roland* peut donc avoir célébré les sanctuaires de la basse vallée du Rhône, en même temps qu'elle condamnait en la personne de Blancandrin les félonies des Sarrasins de Sicile. Pour ma part, j'incline à admettre cette hypothèse; j'y incline d'autant plus volontiers qu'elle permet d'expliquer la mention de Carcassonne au vers 385, celle de Narbonne au vers 3683, deux étapes de la route de Roncevaux aux Aliscamps et peut-être même celle de la « Terre certaine » (la Cerdagne?) au vers 856.

Je pense donc que la version noroise nous a transmis sans modification sensible le texte que nous avons appelé jusqu'ici, par anticipation, la version italo-normande. Comment, pourquoi le compilateur norois du XIII° siècle, négligeant toutes les versions postérieures, y compris celle d'Oxford, a-t-il choisi celle-là? Nous ne le saurons sans doute jamais. Béni cependant soit le hasard qui après plus de cent cinquante ans, l'a placée dans ses mains! Grâce à lui nous tenons peut-être un chaînon essentiel de l'histoire de notre chef-d'œuvre.

Nous découvrons en même temps dans cette Italie colonisée par des Normands de France un vivant foyer de poésie épique. Sur notre chemin nous avons déjà rencontré *la Chanson d'Otinel*, celle *d'Apremont;* il faudrait y joindre *Jean de Lanson* [1] qui raconte les aventures merveilleuses des douze pairs et de Charlemagne qui passèrent les Alpes pour soumettre le rebelle Jehan duc de Lanson, de Pouille, de Calabre et de Maroc. C'est évidemment à ce foyer que travaille, dans le dernier quart du XI° siècle le renouveleur qui mit en scène Blancandrin, le païen disert, élégant et déloyal qui reste une des figures les plus originales de nos chansons de geste.

---

1. Et sans doute aussi la plus ancienne version de *Gaydon*. Voir Appendice III.

X

L'HISTOIRE DE *LA CHANSON DE ROLAND*

Nous devons être maintenant en mesure de retracer la destinée de notre vieille chanson de geste.

A peine née, aux environs de l'an 1000 dans la France du Nord, elle est, semble-t-il, rapidement populaire dans tout le royaume et même au delà des frontières, comme le prouvent les noms d'Olivier et de Roland, inscrits dans la charte de Saint-Victor de Marseille de l'an 1055. Cette popularité ne se limite d'ailleurs pas aux milieux laïques, car c'est à un clerc lettré que nous devons le *Carmen de prodicione Guenonis,* production littéraire déplorable, document précieux qui nous renseigne sur le plus vieil état de la *Chanson.* Pour des raisons que nous ignorons, le succès du vieux poème paraît avoir été particulièrement grand parmi les Normands. Pendant la première moitié du XIᵉ siècle, nous trouvons des chevaliers normands dans toutes les régions d'Europe où l'on combat les Sarrasins : Roger de Toeni en Espagne dès 1018, les fils de Tancrède de Hauteville quelques années plus tard, en Italie méridionale et en Sicile. Peut-être la première *Chanson de Roland* est-elle à l'origine de ces vocations religieuses et guerrières; peut-être au contraire ces vocations ont-elles fait la fortune de la *Chanson* en terre normande. Quoi qu'il en soit, on chanta, paraît-il, des laisses du *Roland* avant la bataille de Hastings, et l'on baptisa en Sicile normande deux montagnes voisines du nom de Roland et de celui d'Olivier.

Ce succès fut à l'origine du premier renouvellement de *la Chanson de Roland*. Vers l'an 1085, un trouvère normand d'Italie ou de Sicile entreprit de rajeunir le poème déjà vieux de trois quarts de siècle et enrichit l'ancien récit d'une fin et d'un début nouveaux. En tête il plaça l'épisode de Blancandrin, en queue l'histoire de Durendal, celle des buissons d'épines, enfin et surtout celle du transfert à Arles des corps des douze pairs. C'est le texte, à peine modifié, de ce remaniement que nous a sans doute transmis, dans sa traduction, le compilateur norois de la *Karlamagnussaga*. Texte vénérable, presque sacré, car c'est lui vraisemblablement qui servit à exalter l'enthousiasme des Provençaux de Raymond de Saint-Gilles, des Normands de Bohémond et de Tancrède à la veille de la première Croisade et pendant la grande expédition de Jérusalem.

Le destin du vieux chef-d'œuvre était loin cependant d'être terminé. A la veille de la seconde Croisade, pour servir les plans et les prédications de saint Bernard, un moine cistercien reprend le thème héroïque. Il s'agit pour lui de faire servir l'histoire de la légendaire bataille contre les Sarrasins d'Espagne à la cause de la croisade orientale. Du poème remanié vers 1085, il conserve donc le début, l'épisode de Blancandrin, et naturellement le splendide récit du combat qui ne peuvent que servir son dessein, et exalter la ferveur guerrière et religieuse. Il modifie en revanche toute la fin, car ce qu'il entend démontrer c'est la solidarité étroite qui unit d'un bout à l'autre de la Méditerranée le monde musulman, et que l'expédition d'Orient doit servir les intérêts même de la *reconquista* qui ont dans les moines de Cluny des défenseurs jaloux. C'est tout le sens de l'épisode de Baligant. Querelle de moines, avons-nous dit déjà. Aussi l'œuvre du rédacteur cistercien destinée à des clercs fut-elle écrite en latin. Ce fut la *Geste Francor*, les *Gesta Francorum* (*Caesaraugustam expugnantium*) du pseudo-saint Gilles nourri des récits des historiens de la première Croisade.

La réplique du *pseudo-Turpin* après l'échec lamentable de la seconde Croisade rappelle une fois de plus l'attention sur le drame légendaire de Roncevaux. Et nous arrivons ainsi à l'année 1158, date capitale dans l'histoire de *la Chanson de Roland*. C'est celle en effet du remaniement anglo-angevin qui élimine la finale de la rédaction italo-normande, lui substitue l'épisode de Baligant emprunté à la *Geste Francor* et fait de Geoffroi d'Anjou, l'ancêtre épique d'Henri Plantegenet, le gonfalonier de Charlemagne et son compagnon d'armes. Notre *Chanson,* celle de Turold, est née.

Ce n'est d'ailleurs pas sa dernière métamorphose. L'assonance passe de mode. Le public des chansons de geste est de plus en plus assoiffé de romanesque. Pour répondre à ses exigences, un remanieur du XIII⁰ siècle rédige une version rimée, abondante, prolixe même, et surchargée *in fine* d'épisodes nouveaux destinés à éveiller la sensibilité de lecteurs ou de lectrices plus curieux d'émotions faciles que de scènes grandioses : la première évasion de Ganelon poursuivi par deux mille Français ; le message trompeur de Charlemagne à la belle Aude invitée à venir à Blaye pour épouser Roland ; les pressentiments de la fiancée qui apprend la vérité par la mère même du héros ; la mort d'Aude ; la seconde évasion de Ganelon, son procès et sa mort.

Cette version rimée qui nous est parvenue en deux variantes, l'une représentée par le manuscrit de Châteauroux (C) et un manuscrit de Venise (V⁷), l'autre par les trois manuscrits de la Bibliothèque Nationale (P), de Lyon (L) et de Trinity College de Cambridge (T) n'est d'ailleurs pas la dernière descendance poétique de la vieille *Chanson.* Il faut faire une place à part en effet à une curieuse version assonancée rédigée en jargon franco-italien et conservée dans le manuscrit IV du fonds français de la Bibliothèque Saint-Marc à Venise (V^4).

Telle serait la généalogie des différentes versions de *la Chanson de Roland*. Si on la tient pour exacte, force sera naturellement de reviser assez largement le classement ou plutôt les classements qui ont été tentés jusqu'ici des différents textes de la *Chanson*. En cette matière, deux grands systèmes, on le sait, se partagent les érudits et les éditeurs [1].

Le plus ancien, celui de Theodor Müller, qui a été repris et défendu par Joseph Bédier, repose sur l'idée suivante : le texte premier, l'archétype aurait, par l'intermédiaire d'une copie déjà fautive, donné naissance à deux rédactions, dont l'une est celle d'Oxford et dont la seconde, plus prolifique, aurait engendré à son tour toutes les autres versions : l'assonancée de Venise (V^4), la noroise (n), le *Ruolandes liet* (K), les deux branches de la version rimée (PLT et CV^7). L'arbre généalogique résumant ce système serait le suivant :

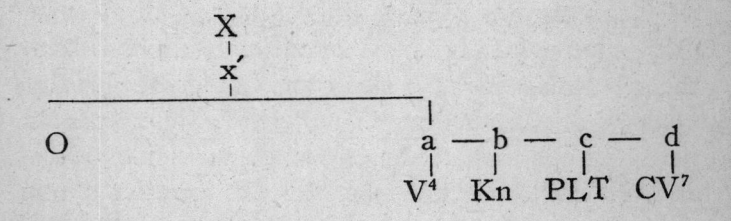

```
            X
            |
            x
 _____|_____
|                       |
O           a — b — c — d
            |   |   |   |
            V⁴  Kn  PLT CV⁷
```

---

[1]. Cf. BÉDIER, *Commentaires*, p. 83 *sqq*.

Cette filiation met, on le voit, exactement sur le même plan le seul manuscrit d'Oxford d'une part, tous les autres manuscrits ou versions de l'autre. J. Bédier qui accepte le principe de cette classification va encore plus loin : il proclame la « précellence » du texte d'Oxford et affirme qu'il « a autant d'autorité à lui seul que tous les autres textes réunis ».

A ce système, d'autres érudits, notamment Ed. Stengel et W. Forster opposèrent une seconde conception. D'après celle-ci, du texte primitif seraient dérivées non pas deux, mais plusieurs rédactions indépendantes. Une première rédaction aurait engendré à son tour le texte d'Oxford et celui de la version assonancée de Venise : O et V^4, comme disent les philologues, s'accordent en effet en quelques passages, à la vérité peu nombreux, différents dans les autres versions. Une deuxième rédaction aurait donné naissance aux deux variantes rimées. Il y aurait en outre une rédaction noroise et une rédaction germanique, celle du *Ruolandes liet*. L'arbre généalogique figurant ce système serait assez différent du précédent.

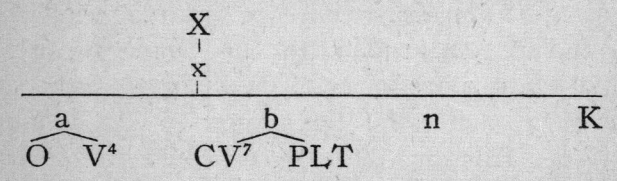

$$\begin{array}{c} X \\ | \\ x \end{array}$$

a	b	n	K
O V^4	CV^7 PLT		

La conception qui a été exposée plus haut bouleverse naturellement l'un et l'autre système. Car elle est différente non seulement dans le classement des versions qu'elle entraîne, mais encore dans son principe. Les philologues qui ont édifié, grâce à une rare érudition et à un dépouillement des textes dont les résultats demeurent, les systèmes précédents sont partis en effet de l'idée préconçue qu'il n'y avait qu'une *Chanson de Roland* et ils se sont seulement préoccupés d'établir le texte de cette *Chanson,* de la *vraie Chanson de Roland.* E. Stengel, par exemple, dans son édition de 1900 a ajouté 657 vers nouveaux aux 3998 du manuscrit d'Oxford, en a modifié près de 1.000, en a déplacé d'autres, a changé parfois l'ordre des laisses. J. Bédier au contraire a condamné ce travail de marqueterie et a soutenu non pas certes que la vraie *Chanson* était celle d'Oxford, mais que le texte d'Oxford était le plus proche de la version véritable.

Je pense au contraire qu'il a existé plusieurs *Chansons de Roland* successives et parentes et toutes également « vraies » au moment où elles ont été rédigées et pour le public à qui elles étaient destinées. S'il fallait réserver l'épithète de « vraie » à l'une d'entre elles, ce serait la première, celle de l'an 1000 évidemment qui la mériterait le mieux. Mais pourquoi cette distinction ? Tous les rédacteurs successifs ont conservé dans leur œuvre des fractions de l'œuvre précédente ou des œuvres antérieures qu'ils avaient sous les yeux. C'est ainsi que parfois les parties communes de la version noroise et de la version d'Oxford sont si voisines dans leurs expressions que, malgré la traduction, la première peut servir à la critique du texte de la seconde. Mais à côté de ces reproductions parfois serviles, chacune des rédactions contient des parties originales, des épisodes nouveaux. Et surtout à chaque remaniement, l'inspiration générale change. La première chanson était l'œuvre d'un loyaliste carolingien. Dans le texte d'Oxford, où Turold veut servir les desseins politiques du Plantegenet, passe largement le souffle de la croisade qui animait ses deux sources : la version italo-normande et les *Gesta Francorum*. La version rimée enfin met évidemment au premier plan le souci du romanesque ; elle fut écrite pour un public et par un versificateur moins amateur sans doute d'épisodes héroïques que de péripéties dramatiques. Les remaniements furent vraiment des renouvellements.

La généalogie de ces renouvellements n'est donc nullement comparable à une généalogie de manuscrits. Est-ce à dire qu'elle ne puisse servir à déterminer la place et la qualité de tel d'entre eux ? Assurément non et je crois notamment qu'elle peut apporter de grandes lumières à l'étude de la valeur du plus important d'entre eux, je veux dire celui d'Oxford.

Turold, l'auteur de la version anglo-angevine de 1158, que nous connaissons par le manuscrit de la Bodléienne, aurait, si nos vues sont exactes, travaillé d'après deux sources : la première était la version italo-normande (que nous connaissons par la traduction noroise) qui lui aurait transmis la substance de la vieille *Chanson* et lui aurait fourni en outre l'épisode de Blancandrin, la seconde était la *Geste Francor,* les *Gesta Francorum* de 1146, à qui il aurait emprunté l'épisode de Baligant. Le rédacteur de la version rimée d'autre part a connu, utilisé, reproduit en la transformant, pour substituer la rime à l'assonance, la chanson de Turold. Dans ces conditions, il est logique de penser que lorsqu'un passage, une laisse, une leçon se rencontrent à la fois dans la version noroise et la version rimée, ils devaient aussi se trouver dans la rédaction de 1158. Or si l'on compare le texte d'Oxford avec celui de la *Karlamagnussaga* d'une part et avec ceux des différents manuscrits de la version rimée, de l'autre, on constate tout au contraire que dans un certain nombre de cas, le premier diffère des autres qui coïncident. C'est de cette constatation précisément que sont partis Théodor Müller et Joseph Bédier pour établir leur classification et pour soutenir que la version d'Oxford ne dépendait d'aucune autre rédaction connue et avait, à elle seule, autant d'autorité, sinon plus, que toutes les autres ensemble. Notre généalogie des diverses *Chansons de Roland* est-elle donc fausse? Je ne le pense naturellement pas. Et l'anomalie en question s'explique, je crois, d'une façon toute simple : le manuscrit d'Oxford est une copie médiocre, négligée, et par endroits fautive de l'œuvre de Turold.

Joseph Bédier a dépensé sans compter sa verve et son talent pour démontrer la « précellence » du manuscrit de la Bodléienne. Tout un chapitre de ses *Commentaires*[1] à *la Chanson de Roland* est consacré à cette démonstration. Dans ce chapitre, il examine treize passages du poème où Oxford est en contradiction avec tous les autres textes ; son examen tend à prouver que dans ces treize cas, Oxford a raison contre tout le monde. Quelques-uns des passages discutés par J. Bédier n'intéressent pas le problème posé par notre généalogie, car ils ne se trouvent pas dans la version noroise. La majorité toutefois figure à la fois dans celle-ci que nous considérons comme antérieure à la rédaction de Turold et dans les rédactions postérieures à 1158. Les leçons du manuscrit d'Oxfort doivent-elles dans tous ces cas être préférées ? J'ai examiné ces cas un à un, en suivant J. Bédier. Dans aucun les raisons du maître parfois spécieuses, presque toujours d'ordre exclusivement littéraire, ne m'ont pas paru décisives et dans deux au moins, très importants, il m'est apparu nettement que le texte d'Oxford était indéfendable. Comme la question est d'importance, on m'excusera de m'attarder dans cette aride discussion de textes.

---

[1]. P. 93 *sqq.*

Le premier cas concerne l'agencement de la scène du Défi. Il s'agit de nommer un ambassadeur qui portera à Marsile la réponse de Charlemagne. Voici la rédaction d'Oxford :

XX

274 Francs chevalers, dist li emperere Carles,
« Car m'eslisez un barun de ma marche,
Qu'a Marsiliun me portast mun message. »
Ço dist Rollant : « Ço ert Guenes, mis parastre. »
Dient Franceis : « Car il le poet ben faire.
Se lui lessez, n'i trametrez plus saive. »
280 E li quens Guenes en fut mult anguisables.
De sun col getet ses grandes pels de martre
E est remés en sun bliat de palie.
Vairs out les oilz e mult fier lu visage ;
Gent out le cors e les costez out larges ;
285 Tant par fut bels tuit si per l'en esguardent.
Dist a Rollant : « Tut fol, pur quei t'esrages ?
Ço set hom ben que jo sui tis parastres,
Si as juget qu'a Marsiiiun en alge.
Se Deus ço dunet que jo de la repaire,
290 Jo t'en muvra un si grant contraire
Ki durerat a trestut tun edage. »
Respunt Rollant : « Orgoill oi e folage.
Ço set hom ben n'ai cure de manace ;
Mai saives hom il deit faire message.
295 Se li reis voelt, prez sui por vus le face ! »

XXI

Guenes respunt : « Pur mei n'iras tu mie !
Tu n'ies mes hom no jo ne sui tis sire.
Carles comandet que face sun servise :
En Sarraguce en irai à Marsilie ;

300 Einz i ferai un poi de legerie
Que jo n'esclair ceste meie grant ire. »
Quant l'ot Rollant, si cumençat a rire.

XXII

Quant ço veit Guenes qu'ore s'en rit Rollant,
Dunc ad tel doel pur poi d'ire ne fent ;
305 A ben petit que il ne pert le sens,
E dit al cunte : « Jo ne vus aim nient :
Sur mei avez turnet fals jugement.
Dreiz emperere, veiz me ci en present :
Ademplir voeill vostre comandement.

XXIII

310 En Sarraguce sai ben qu'aler m'estoet.
Hom ki la vait repairer ne s'en poet.
Ensurquetut si ai jo vostre soer,
Sin ai un filz, ja plus bels n'en estoet,
Ço est Baldewin » ço dit, « ki ert prozdoem.
315 A lui lais jo mes honurs e mes fieus.
Guardez le ben, ja nel verrai des oilz. »
Carles respunt : « I'ro avez tendre coer.
Puis quel comant, aler vus en estoet. »

XXIV

Ço dist li reis : « Guenes, venez avant,
320 Si recevez le bastun e lu guant.
Oït l'avez, sur vos le jugent Franc.
— Sire, dist Guenes, ço ad tut fait Rollant !
Ne l'amerai a trestut mun vivant,
Ne Oliver, por ço qu'il est si cumpainz,
325 Li duze per, por ço qu'il l'aiment tant.
Desfi les en, sire, vostre veiant. »

Ço dist li reis . « Trop avez mal talant.
Or irez vos certes, quant jol cumant.
— Jo i puis aler, mais n'i avrai guarant.
330 Nu l'out Basilies ne sis freres Basant. »

XXV

Li empereres li tent sun guant, le destre ;
Mais li quens Guenes iloec ne volsist estre ;
Quant le dut prendre, si li caït a tere.
Dient Franceis : « Deus ! que purrat ço estre ?
335 De cest message nos avendrat grant perte.
— Seignurs, dist Guenes, vos en orrez noveles ! »[1]

XX

1. 274 « Chevaliers francs, leur dit l'empereur Charles,
Elisez-moi un baron de ma marche
Qui à Marsile portera mon message. »
Roland dit : « Ce sera Ganelon, mon parâtre. »
Les Français disent : « Il en est bien capable.
Désignez-le, il n'en est de plus sage. »
280 Le comte Ganelon en est tout plein d'angoisse.
Il jette de son cou ses grandes peaux de martre
Et reste avec son seul bliaut de soie ;
Ses yeux sont vairs et fier est son visage,
Son corps est noble et sa poitrine large.
285 Il est si beau ! Tous ses pairs le regardent.
« Fou ! dit-il à Roland, d'où te vient cette rage ?
On le sait bien que je suis ton parâtre.
Ainsi tu as voulu que j'aille chez Marsile.
Si Dieu permet que de là je m'échappe.
290 De tels malheurs sur toi j'attirerai
Qui dureront tout autant que ta vie. »
Roland répond : « C'est orgueil et folie.
On sait que je méprise les menaces.
Mais il faut un prud'homme pour faire un tel message.
295 Si le roi veut, je suis prêt à le faire. »

XXI

Ganelon dit : « Tu n'iras pas pour moi !
Tu n'es pas mon vassal, ni ne suis ton seigneur.
Charles m'ordonne de faire son service.
A Saragosse j'irai donc vers Marsile.

Dans les autres versions, dans la version rimée (CV⁷), dans la version assonancée de Venise, dans la *Karlamagnussaga*, l'ordonnance de la scène est très différente : après le vers 279, se place la laisse XXIV d'Oxford, puis la laisse XXIII, ensuite on revient au vers 280, après quoi viennent les laisses XXI, XXII et XXV d'Oxford qui dans cette rédaction, qui compte une laisse de plus, portent les numéros XXIV, XXV et XXVI. Cet agencement me paraît non seulement plausible mais même le seul possible. Celui d'Oxford est inadmissible et ne peut être que le fait d'un scribe maladroit. Il contient en effet à deux reprises une contradiction éclatante. Au vers 298, Ganelon dit :

>   Carles commandet que face sun servise.

---

300 Mais j'y ferai peut-être une folie
     Pour soulager mon immense colère. »
     Roland l'entend, et il commence à rire.

XXII

     Lorsque Ganelon voit que Roland rit de lui
     Il souffre tant qu'il pense éclater de colère.
305 Et peut s'en faut qu'il ne perde le sens :
     Il dit au comte : « Je vous ai en horreur.
     Sur moi vous avez fait tomber l'injuste choix.
     Droit Empereur, me voici devant vous.
     Je veux remplir votre commandement.

XXIII

310 A Saragosse je vois qu'il faut aller.
     Qui va là-bas ne s'en peut échapper.
     Par-dessus tout, ma femme est votre sœur.
     J'en ai un fils ; il n'en est de plus beau.
     C'est Baudouin, dit-il, qui sera preux

Et au vers 308, il répète :

> Dreiz emperere, veiz me ci en present :
> Ademplir voeill vostre comandement.

Or, dans le récit d'Oxford, ces deux affirmations n'ont aucun sens, car le nom de Ganelon a bien été proposé à l'empereur par l'assemblée, mais Charlemagne ne s'est pas encore prononcé et il n'a donné aucun ordre à Ganelon. Bien mieux, Charlemagne lui-même se contredit quand il dit au vers 318 à Ganelon :

> Puis quel comant, aler vus en estoet.

---

315 A lui je laisse mes charges et mes fiefs.
   Gardez-le bien, mes yeux ne le reverront plus. »
   Charles répond : « Votre cœur est trop tendre.
   Puisque je vous l'ordonne, il faut aller là-bas. »

XXIV

   Le roi dit lors : « Approchez, Ganelon,
320 Et recevez le gant et le bâton.
   Vous l'avez entendu, les Francs vous ont choisi,
   — Sire, dit Ganelon, Roland a tout conduit.
   Je le détesterai pendant toute ma vie,
   Et Olivier, car il est son ami.
325 Les douze pairs, car ils l'aiment aussi.
   Et sous vos yeux, sire, je les défie. »
   Le roi répond : « Vous êtes trop colère.
   Vous irez donc, car je vous le commande.
   — J'y puis aller, mais je vais à ma perte,
330 Comme Basile et son frère Basant. »

XXV

   L'empereur tend son gant de la main droite.
   Mais Ganelon voudrait bien être ailleurs,
   Il va pour le saisir, le gant tombe par terre.
   Les Français disent : « Dieu, quel mauvais présage !
335 Un grand malheur viendra de ce message.
   — Seigneurs, dit Ganelon, vous aurez des nouvelles. »

Encore une fois, à ce moment il n'a encore fait aucun choix, donné aucune mission. Cette mission ne sera donnée, ce choix ne sera fait qu'aux vers suivants :

> 319 Ço dist li reis : « Guenes, venez avant,
> Si recevez le bastun e lu guant.
> Oït l'avez, sur vos le jugent Franc. »

Toutes les autres versions placent ces trois vers aussitôt après les vers 274-279 :

> 274 Francs chevalers, dist li emperere Carles,
> Car m'eslisez un barun de ma marche,
> Qu'a Marsiliun me portast mun message.
> Ço dist Rollant : « Ço ert Guenes, mis parastre. »
> Dient Franceis : « Car il le poet ben faire.
> Se lui lessez, n'i trametrez plus saive. »

La vraie place des vers 319-321 est évidemment après ce morceau. Autrement dit la bonne, la vraie rédaction du passage n'est pas celle d'Oxford. J'ajouterai que cette dernière est littérairement — j'en demande pardon à la mémoire de J. Bédier — très inférieure à l'autre : dans cette autre en effet, après avoir reçu sa mission de Charles, Ganelon essaie par deux fois de faire revenir l'empereur sur sa décision, la première fois en déclarant que ce n'est pas l'Assemblée, mais Roland seul qui l'a désigné, la seconde fois en invoquant sa parenté avec Charlemagne. Et ce n'est qu'après avoir essuyé deux refus qu'il laisse éclater sa colère. La scène, ainsi, est supérieurement conduite.

L'examen d'un deuxième passage fort important lui aussi, dans lequel Oxford est en contradiction avec les autres versions, montre encore que le texte d'Oxford est inadmissible [1].

Après le vers 1525 du manuscrit d'Oxford, au moment où la seconde bataille s'engage, toutes les autres versions placent trois (V^4) ou quatre laisses (version rimée) qui exposent les préparatifs de la bataille. Au cours de ces préparatifs, Marsile partage ses troupes en deux corps de dix « escheles » chacun. Lorsque le premier aura ébranlé les Français, Marsile interviendra avec le second. Ce dispositif est mentionné par toutes les autres versions, y compris la version noroise et le *Carmen de prodicione Guenonis*. Il manque dans le texte d'Oxford. Résultat : autant le récit de la bataille est clair, ordonné, facile à suivre dans toutes les autres rédactions, autant il est confus et même incompréhensible dans Oxford. Et je crois que si on considère le problème sans préjugé, il est bien difficile de ne pas conclure que ce désordre indéniable est dû non pas à une autre conception de la bataille, mais à une ou plusieurs erreurs ou distractions du copiste qui a interverti et sauté des feuillets de son modèle.

Et d'abord les laisses CXIII et CXIV (vers

---

[1] Cf. BÉDIER, *Commentaires*, p. 115 *sqq*.

1467-1509), par quoi dans le manuscrit d'Oxford débute la bataille, ne sont manifestement pas à leur place. Dans ces deux laisses, on voit intervenir le corps de troupes commandé par Marsile en personne et on assiste à la victoire de Turpin sur Abisme, le porte-enseigne du roi païen. Or, à la laisse CXV (1510-1525), qui suit, le combat n'est pas encore commencé. Il est clair que le duel Turpin-Abisme qui, dans toutes les autres versions, est le premier épisode de la troisième bataille qui commence avec l'intervention de Marsile à la tête des dix « escheles » restées en réserve, doit être transporté beaucoup plus loin, juste avant la laisse CXXVII du manuscrit d'Oxford, avec laquelle il se raccorde de façon parfaite :

> 1671 Li quens Rolland apelet Oliver :
> « Sire cumpaign, sel volez otrier,
> Li arcevesque est mult bon chevaler... »

Mais cette reconstitution, généralement adoptée du reste par les éditeurs, exige que soient rétablies après le vers 1525 les laisses qui manquent dans le manuscrit d'Oxford et qui font connaître les dispositions tactiques adoptées par Marsile, c'est-à-dire le partage de son armée en deux corps de dix « escheles ». Ce qu'il fallait démontrer.

Veut-on une autre preuve que le manuscrit d'Oxford présente des lacunes graves? La troisième bataille, telle que nous venons de la restituer, est commencée et l'armée chrétienne est durement éprouvée :

> 1679 Mult grant dulor i ad de chrestiens.

Après ce vers, dans Oxford, la déconfiture de l'arrière-garde est racontée en huit vers seulement et le passage se termine ainsi :

> 1688 Tuz sunt ocis cist Franceis chevalers,
> Ne mès seisante, que Deus i ad esparniez.

Dans toutes les autres versions, on lit, après le vers 1679, d'abord l'annonce qu'il reste quelques centaines de Français en état de combattre, ensuite quatre laisses consacrées à des descriptions de la mêlée où l'on voit la vaillance de Roland et d'Olivier incapable d'enrayer le succès des païens. A ces quatre laisses correspond dans la *Karlamagnussaga* le passage suivant, où l'on retrouve, condensée, la matière des quatre strophes : « ... Si bien qu'il n'en reste que sept cents capables de combattre. Alors le roi Marsile prie Makon et Mahomet de l'aider : « Le roi Charlemagne avec « sa barbe blanche et ses hommes nous a fait grand « mal, mais si Roland tombe, nous gagnerons « terre et empire; sinon nous avons perdu terre « et empire. » Les félons païens recommencent la bataille, piquent de la lance, frappent de l'épée, tapent sur les heaumes, rompent les broignes. On peut voir maint bon chevalier perdre la vie. Roland voit la défaite des siens et chevauche au milieu des païens, frappe des deux côtés, et abat quarante ennemis. Olivier combat d'un autre côté de toutes ses forces Roland appelle Olivier : « Viens, cours « vers moi, car le jour est venu où l'aide de « Charles va nous manquer. »

Cette marche du récit est infiniment plus logique, plus satisfaisante que la rédaction écourtée de la version d'Oxford. Elle marque parfaitement les étapes de la défaite et l'évolution qui va amener Roland à proposer à Olivier d'appeler l'empereur et de sonner l'olifant. Le texte d'Oxford est manifestement tronqué et incomplet.

Il faut donc conclure que le manuscrit d'Oxford est hélas ! une copie médiocre et même, par places, fort mauvaise, qui ne nous donne qu'une image déformée du poème de Turold, du renouvellement de 1158. Ainsi tombe l'objection que dressait contre notre classement des versions successives de la *Chanson* le caractère singulier du texte d'Oxford.

Ainsi tombe, en même temps, la thèse de la précellence de ce texte. Mais J. Bédier qui l'a soutenue avec tant de force et tant de foi ne lui avait-il pas déjà porté lui-même un coup terrible lorsqu'il avait reconnu que le modèle suivi et traduit par l'auteur de la *Karlamagnussaga* « devait être une archaïque version de *la Chanson de Roland* concurrente de celle d'Oxford »[1] ? Comment soutenir en effet

---

1. *Commentaires*, p. 73.

que dans tous les cas où cette version « archaïque » concordait avec les autres et se trouvait en désaccord avec le manuscrit d'Oxford, cette concordance était sans valeur ? L'autorité de la version « archaïque » devrait cependant faire foi.

Nous voici maintenant en mesure de dresser à notre tour un arbre généalogique non pas — précisons-le — des manuscrits, mais des chansons successives. Avant de l'entreprendre, il nous faut cependant dire quelques mots de la version assonancée de Venise, celle du manuscrit V^4, qui présente quelques traits particuliers et appelle certaines observations.

Cette version assonancée écrite en jargon franco-italien est relativement tardive. Son auteur connaît les épisodes finaux que nous retrouvons dans la version rimée. Plus précisément, après la prise de Saragosse par Charlemagne, les deux versions suivent la même affabulation [1]. Elles sont donc étroitement parentes. On peut dans ces conditions se demander pourquoi l'une est restée fidèle à la technique de l'assonance, tandis que l'autre adoptait celle de la rime. Peut-être a-t-il existé, après la version d'Oxford, une version française assonancée dont le contenu était déjà celui de la version rimée, et qui a été utilisée par le rédacteur du texte franco-italien.

On a contesté, il est vrai, que cette version asso-

---

1. V^4 ajoute la prise de Narbonne.

nancée de Venise fût vraiment tardive. Si l'on se reporte en effet au classement de Théodor Müller et de J. Bédier donné plus haut, on constate que d'après ces auteurs, le renouvellement représenté par V^4 serait antérieur non seulement à la version rimée, mais même au modèle de la version noroise !

Ce classement serait imposé par quatre passages qui, par une rencontre assez remarquable, se trouvent tous au début de la *Chanson,* dans l'épisode de Blancandrin. Ces quatre passages présentent une même caractéristique : l'accord de O et de V^4 où l'on ne trouve pas certains vers qu'on lit dans toutes les autres versions :

a) Ainsi Blancandrin salue l'empereur de la façon suivante (O et V^4) :

123 E dist al rei : « Salvet seiez de Deu,
Le glorius, que devuns aürer ! »
116 « Droit emperer, salva sia da Dé,
Dal criator, che dovi adorer ! »

Dans les autres versions, le Sarrasin remplace le second vers par une énumération d'articles de la foi empruntés au symbole de Nicée.

b) Dans les mêmes versions, Charles répond au messager et lui dit, par exemple dans la *Karlamagnussaga :* « Si le roi Marsile fait ce que tu viens de dire, je ne lui demande rien de plus. » Dans O et V^4, l'empereur ne répond rien.

c) Même constatation à propos de l'apostrophe de Ganelon à Roland :

286 Dist a Rollant : « Tut fol, pur quei t'esrages?
Ço set hom ben que jo sui tis parastres,
Si as juget qu'à Marsiliun en alge.
Se Deus ço dunet que jo de la repaire,
Jo t'en muvra un si grand contraire
Ki durerat a trestut tun edage. »

Le texte de V^4 est très voisin de celui-là et même plus court. Mais voici celui de la *Karlamagnussaga* tout différent : « Félon, pourquoi ta fureur? Des démons logent en ton corps. Les Français en sont venus à te haïr, car c'est par ta faute, et rien que par ta faute, qu'ils demeurent si longuement en ce pays, où chaque jour tu les charges de fatigues et de tourments, et c'est à cause de toi qu'il leur faut inutilement porter leurs armes. Maudit soit le jour où pour la première fois tu vis le roi Charlemagne! Par ton orgueil, ta démesure, ta méchanceté, tu le détournes de moi et de tant d'autres bons chevaliers. Tu as obtenu que j'aille vers le félon païen Marsile. Si je reviens de là-bas, je te ferai tel dommage qui durera aussi longtemps que ta vie. »

d) Et voici le dernier passage. Avant le vers 331,

Li emperers li tend sun guant, le destre,

toutes les versions, sauf O et V^4, contiennent un morceau dans lequel Charlemagne donne à Ganelon ses instructions pour son ambassade, et lui dicte les conditions qu'il posera à Marsile : celui-ci deviendra l'homme lige de Charlemagne, moyennant quoi il recevra la moitié de l'Espagne, l'autre moitié étant donnée à Roland. L'empereur ajoute les menaces que le messager devra adresser à Marsile pour l'amener à capituler. Silence concordant dans O et V^4.

De ces faits faut-il conclure, avec J. Bédier à l'ancienneté relative de la version assonancée de Venise et à son antériorité par rapport à la version « archaïque » de la *Karlamagnussaga*? Je crois que non. Je pense en effet que les vers, les morceaux qui font défaut dans O et dans V^4 ont été omis chez eux et non ajoutés dans les autres. Je pense que loin de représenter un état du texte plus jeune, ils représentent un état plus ancien que la version d'Oxford et que les deux derniers passages remontent même jusqu'à la plus ancienne *Chanson,* celle qui ignorait l'ambassade de Blancandrin.

La chose me paraît évidente pour le dernier, celui dans lequel Charlemagne donne ses instructions à Ganelon. Ces instructions sont en effet superflues, car elles font double emploi avec les propositions de Blancandrin. Elles sont inexplicables, puisque les demandes de Charlemagne sont plus douces que les offres de Marsile : elles ne comportent aucun tribut et elles promettent la moitié de l'Espagne que le roi de Saragosse est loin de posséder. Elles sont absurdes enfin puisqu'elles comportent des menaces pour le moins inutiles alors que Marsile demande la paix. Le morceau a été manifestement écrit pour une *Chanson,* la première, qui ignorait Blancandrin et son message.

On peut, je crois, dire la même chose du contenu de l'apostrophe à Roland de Ganelon. Dans la version noroise, Ganelon reproche avant tout au neveu de Charlemagne sa fureur belliqueuse, son bellicisme dirions-nous aujourd'hui; à lire son discours on comprend que l'ambassade de Ganelon à Saragosse n'est que la conséquence de ce désir immodéré de conquête et de guerre que Roland fait partager à l'empereur malgré l'avis des autres barons. Mais ce propos est, lui aussi, incompréhensible dans l'état actuel de nos textes, y compris celui de la version noroise, après l'assemblée où Roland vient précisément d'être battu et où les conseils pacifiques de Ganelon et de Naimes ont triomphé sans difficulté. Il était au contraire admirablement à sa place dans une version qui ne comportait pas l'épisode de Blancandrin et où les barons venaient de délibérer pour savoir si on rentrerait en France ou si on attaquerait Saragosse, et où Roland avait fait prévaloir son avis et fait décider qu'on enverrait à Marsile un ultimatum. Autrement dit, l'invective de Ganelon contre Roland que nous lisons dans la *Karlamagnussaga* est tout uniment celle de la première *Chanson de Roland,* celle du poème de l'an 1000.

Cette invective, à peine modifiée, nous la retrouvons dans la version rimée (CV⁷). Elle a donc figuré dans la source de celle-ci, c'est-à-dire dans l'œuvre de Turold, dans la version anglo-angevine de 1158. Elle y a figuré avec les autres vers et morceaux qui ont disparu à la fois d'O et de V⁴. Mais comment alors expliquer ces absences simultanées dans le manuscrit d'Oxford et dans la version assonancée de Venise ? Il suffit, à mon avis, d'admettre l'existence, entre le texte premier de Turold et celui de la Bodléienne, d'un autre manuscrit, d'une autre famille de manuscrits si l'on préfère, où auraient été faites, dans les quatre passages indiqués, les amputations, les modifications qui viennent d'être discutées. Le hasard a voulu que cette famille de manuscrits fournît d'abord le texte qu'a reproduit le copiste d'Oxford en y ajoutant des bévues personnelles, et plus tard celui qu'a consulté le compilateur de la rédaction assonancée franco-italienne.

Car c'est bien le mot compilateur qui convient à l'auteur de cette version. Nous savons déjà qu'il a utilisé le modèle d'où sont sorties les deux formes de la version rimée. Il a connu, nous venons de le voir, une variante de l'œuvre de Turold. Il a emprunté au cycle de Guillaume l'épisode de la prise de Narbonne. Il paraît même avoir eu sous les yeux un texte qui contenait certains passages du plus vieux poème, qu'il a insérés dans son œuvre : témoin son récit du voyage de Cordres à Saragosse avec le discours que Ganelon tient à son cheval[1]. Tout se passe en somme comme si l'auteur de la version assonancée de Venise s'était donné pour tâche de rédiger à l'usage de son public ultramontain une sorte d'encyclopédie de la légende épique de Roncevaux. L'œuvre qui en est résultée ne brille assurément pas par l'originalité. Mais elle présente pour l'étude de *la Chanson de Roland* et de son histoire un intérêt documentaire qu'il serait difficile d'exagérer.

Nous sommes arrivés au bout de cette analyse. Je crois qu'on peut en rassembler les résultats dans le tableau généalogique que l'on trouvera en appendice. Ce tableau montre le prodigieux rayonnement de notre épopée nationale. Il nous conduit de la France du Nord en Sicile, en Angleterre, en Allemagne, en Norvège, à Venise. Il évoque les débuts de la monarchie capétienne, la conquête normande en Méditerranée, la première et la seconde Croisades, la constitution et le rayonnement de l'empire des Plantegenet. Il résume trois siècles de l'histoire de la France et de l'Europe.

---

1. Cf. plus haut, p. 160.

XI

CONCLUSION

Cette étude a été entreprise et poursuivie sans esprit de système, sans idée préconçue, avec la seule conviction que l'histoire littéraire est inséparable de l'histoire générale. J'ai essayé de retrouver, de suivre, de renouer les liens qui unissaient notre plus belle chanson de geste et la plus célèbre aux événements de notre histoire aux Xe, XIe et XIIe siècles. En me proposant cette recherche, je n'ai pas tenté d'expliquer *la Chanson de Roland*. J'ai seulement essayé, en historien, de l'éclairer. Je ne sais si j'y ai réussi.

Je voudrais maintenant essayer de confronter au moins brièvement les résultats auxquels j'espère être arrivé avec les théories qui continuent à se heurter sur la naissance et le développement de nos chansons de geste.

La date la plus haute à laquelle nous a fait parvenir notre recherche se place aux environs de l'an 1000. A cette date aurait été écrite la première *Chanson*. Cette œuvre était plus brève, plus ramassée, plus dramatique que celles que nous connaissons. Mais — et c'est là l'essentiel — elle se présentait déjà comme une véritable chanson de geste. Avec elle l'épopée française était déjà née. Avec elle, d'autre part, les lignes essentielles de la légende de Roland et de la bataille de Roncevaux sont déjà définitivement fixées. Autrement dit, la plus ancienne *Chanson de Roland* apparaît avec tous les traits caractéristiques d'une création littéraire définitive et l'on est tenté de dire avec M. Pauphilet : au commencement était le poète. Résistons cependant à la tentation et disons-nous que peut-être l'analyse de la légende qui forme la trame du vieux poème nous apprendra quelque chose de plus sur les origines de l'œuvre elle-même.

Cette légende comporte trois thèmes fondamentaux : un thème dramatique, celui de la trahison, un thème sentimental, celui de l'amitié de Roland et Olivier; et un thème poétique, celui du cor de Roland; ses péripéties, d'autre part, se déroulent dans un cadre bien défini : la route de Blaye à l'Ebre par Roncevaux.

Le thème dramatique, celui de la trahison de Ganelon, illustré par le contraste de la loyauté de Turpin, de la fidélité de Gautier, est sans racine historique aucune, je veux dire sans lien avec l'affaire du 15 août 778 sur le chemin de crête du port de Bentarte, qui n'a comporté aucune trahison. Les montagnards basques ont voulu venger la destruction de Pampelune par l'armée franque ou plus simplement piller ses bagages. La trahison n'est dans la *Chanson* qu'un ressort littéraire, le plus banal, le plus vulgaire : « Un tel mélodrame, a dit très justement Bédier [1], est de tous les temps, n'est d'aucun temps, est à tous, n'est à personne, n'est rien. Mais le poème de Turold est admirable bien qu'il traite ce sujet, et non parce qu'il le traite. » La trahison de Ganelon ne relève ni de l'histoire, ni de la légende, mais seulement de la littérature. Ce que nous savons, en tout cas, c'est que le personnage de Turpin, symbole de la loyauté, n'est pas entré dans la légende avant la fin du Xe siècle. Flodoard qui mourut en 966 ne connaissait encore qu'un Tylpinus, archevêque sédentaire et administrateur consciencieux. Le Turpin héroïque et guerrier est né avec *la Chanson de Roland.* Il n'est comme Ganelon qu'un personnage littéraire, un héros de roman.

Pas plus que le thème de la trahison, celui de l'amitié ne nous écarte de la littérature. Roland et Olivier ne sont qu'un anneau d'une longue chaîne qui commence avec Patrocle et Achille et passe par Oreste et Pylade, par Nysus et Euryale. Le personnage d'Olivier est sorti du néant avec *la Chanson de Roland.* Il n'existe que par elle. Aucun texte, aucun monument certain ne le rattache au passé, proche ou lointain. Hugues de Fleury,

---

1. *Légendes épiques,* III, 3e éd., p. 41

au début du XIIe siècle, mentionne dans son histoire le tombeau de Roland à Blaye; il ne fait aucune allusion à celui d'Olivier que l'on montrera plus tard aux pèlerins. Olivier est le type de la création poétique. Un contemporain du poète, comme je l'ai suggéré, Herbert de Troyes ou Eudes de Chartres, a pu servir de modèle. L'imagination a fait le reste. Olivier n'est entré dans la légende que par l'épopée.

Le thème du cor qui fait passer à travers toute la *Chanson* un souffle de poésie romantique est le thème essentiel du poème, celui qui lui donne son unité, sa cohésion, sa couleur. L'olifant est vraiment placé au cœur de l'action; dans toutes les grandes péripéties il joue un rôle essentiel. Les deux discussions dont il fait l'objet entre Roland et Olivier encadrent la bataille et c'est à propos de lui que les caractères des deux amis s'affirment, s'opposent et se dessinent. Grâce à l'appel du cor, les morts de Roncevaux seront vengés et les Sarrasins en fuite laissent Roland dernier survivant maître du champ de bataille. L'appel désespéré de l'olifant révèle à Charlemagne la trahison de Ganelon. C'est avec l'olifant qui restera fendu que Roland porte son dernier coup et tue son dernier ennemi. C'est l'olifant enfin, l'olifant qu'il a sonné « par peine et par ahans » qui causera sa mort. Car Roland invaincu et invulnérable ne reçoit pas une seule blessure dans la bataille. C'est lui-même qui se blesse à mort en appelant l'empereur par-dessus les ports, par delà les montagnes.

Ce thème du cor, qui n'a ni la vulgarité de celui de la trahison, ni la banalité de celui de l'amitié, fait incontestablement la principale originalité de *la Chanson de Roland*. Il enchante encore les plus blasés, il émeut toujours les sensibilités les mieux cuirassées contre les pièges du romantisme. Ce thème, d'où vient-il? Le poète de la *Chanson* a su admirablement le distribuer, l'orchestrer, le transposer. L'a-t-il inventé tout entier? Contre toute attente, il semble bien que non. Ici le poète ne fut pas au commencement.

Si l'on en croit le *Guide des pèlerins* qui fait suite au *Pseudo-Turpin,* on montrait à Bordeaux, au milieu du XIIe siècle, dans la collégiale de Saint-Seurin, un olifant fendu, *tuba vero eburnea, scilicet scissa*, qu'on disait être celui de Roland. Le signalement de ce cor correspond très exactement à celui de la *Chanson* qui fut fendu par Roland sur la tête d'un Sarrasin :

2295   Fenduz en est mis olifans el gros.

Dès lors il faut se demander : l'olifant de Saint-Seurin dérive-t-il de la *Chanson,* ou celui de la *Chanson* vient-il de Saint-Seurin?

Si l'on suivait M. R. Fawtier, la réponse ne serait pas douteuse, car, à son sentiment, l'olifant de Saint-Seurin n'a jamais existé. Aucun texte de la collégiale, dit-il, ne l'a jamais mentionné. C'est exact. Mais ce silence, peut-être surprenant, ne diminue en rien la valeur du témoignage du *Guide des pèlerins,* de celui du *pseudo-Turpin,* ni de celui même de *la Chanson de Roland.*

3687   Li pelerin le veient ki la vunt.

Personne ne peut penser que le *Guide* aurait invité les pèlerins à aller voir sur l'autel de Saint-Seurin l'olifant fendu de Roland, si aucun olifant n'avait existé. Le *Guide* et le *pseudo-Turpin* ont été composés vers 1150. Le cor se trouvait à Saint-Seurin depuis un certain temps déjà à cette date. Le *peudo-Turpin* nous apprend en effet que le clergé de la basilique de Saint-Romain à Blaye contestait à Saint-Seurin la possession légitime de l'olifant; celui-ci, déposé d'abord à Blaye par Charlemagne, aurait été par fraude, *indigne,* transféré à Bordeaux. Polémique inexplicable autour d'un objet récent : les adversaires de Saint-Seurin eux-mêmes n'osaient pas en 1150 contester l'antiquité et l'authenticité de la relique.

La présence de l'olifant à Saint-Seurin remontait donc, selon toute probabilité, au moins au XIe siècle. Etait-elle antérieure à l'an 1000, à la composition de la plus ancienne *Chanson* ? Il est impossible bien entendu de répondre avec certitude. On peut seulement tenter de le faire en s'inspirant de la vraisemblance.

Si l'on pense que l'olifant de Bordeaux n'a été déposé sur l'autel de Saint-Seurin que parce que *la Chanson de Roland* était déjà connue et populaire, il faut admettre aussi que les membres de la collégiale ont découvert un cor d'ivoire dans leur trésor ou ailleurs, que ce cor avait providentiellement le pavillon fendu, qu'ils ont enfin eu l'idée de le transformer en relique de la bataille de Roncevaux, et de le proposer à la piété des pèlerins. Si de semblables supercheries ne sont pas rares, de telles coïncidences le sont moins. Admettons-les cependant. Mais dans cette hypothèse il reste à expliquer le texte même de *la Chanson de Roland*. Car l'épisode dans lequel Roland se sert de son cor d'ivoire comme d'une arme est, du point de vue littéraire, une véritable énigme, voire un scandale.

Relisons-le. Seul survivant de toute l'armée, Roland s'est évanoui ; un païen qui a contrefait le mort le voit, s'approche et veut lui arracher son épée ; Roland reprend connaissance, frappe le mécréant à la tête avec son olifant et le tue net : c'est sa dernière victoire. L'épisode en cette place est littérairement inadmissible. C'est une anecdote médiocre qui ralentit la magnifique progression dramatique des scènes qui conduisent à la mort de Roland : la bénédiction des cadavres des pairs par l'archevêque mourant, l'adieu de Roland à Olivier, la mort de Turpin, les vains efforts de Roland pour briser Durendal. L'incident du païen tué par l'olifant se place entre la troisième et la quatrième scène. Déplacé en cet endroit, il est en outre inutile. Car ce n'est pas à cause de la tentative de rapt que Roland décide de détruire son épée. Il craint non qu'elle tombe tout de suite au pouvoir des païens, mais qu'elle vienne aux mains d'un lâche :

> 2309   Ne vos ait hume ki pur altre fuiet.

Les vers 2335-2336 eux-mêmes ne peuvent prêter à aucune équivoque :

> Pur cette espee ai dulor e pesance.
> Mielz voeill murir qu'entre paiens remaigne.

Ce n'est évidemment pas de sa propre mort, qu'il sait imminente, que parle ici Roland; il exprime le souhait que le futur possesseur de Durendal préfère la mort à la capitulation. Et il répète au vers 2351 :

> Ne vos ait hume ki facet cuardie !

C'est le seul danger qu'il redoute pour la brave épée. Ainsi, que l'on considère le ton, ou la marche du récit, le morceau fait décidément figure de hors-d'œuvre. Ce n'est pas cependant une interpolation tardive, puisque dans le *Carmen de prodicione Guenonis,* Roland tue dans les mêmes conditions et au même moment non pas un, mais deux païens avec son olifant. Je conclus que la seule explication possible de la présence, en cette place de la *Chanson,* de ce morceau superflu et médiocre c'est que cette présence était imposée au poète par une tradition impérieuse.

La clef du problème nous est donnée d'ailleurs par les deux derniers vers de l'épisode qui en représentent la conclusion et pour lesquels il a manifestement été écrit. Roland dit :

2295 Fenduz en est mis olifant el gros
Caiuz en est li cristals e li ors.

On pourrait justement s'étonner de voir ainsi le preux, sur le point de mourir et bien décidé en outre à détruire sa chère épée, décrire minutieusement et *déplorer* les dégâts que vient de subir son olifant. Ces deux vers si précis et psychologiquement si absurdes s'éclairent cependant et se justifient si l'on admet qu'ils ne sont là que pour authentifier un cor bien connu dont le pavillon (le gros) était fendu et dont les ornements avaient sans doute disparu. Ce cor, nous le connaissons, c'est celui de Saint-Seurin, *tuba vero eburnea, scilicet scissa*. L'épisode qui, répétons-le, existait déjà dans la plus ancienne version du poème, n'a pris place dans le récit que parce qu'on voulait expliquer la fêlure de l'olifant de Bordeaux.

Celui-ci existait donc déjà, à la fin du Xe siècle, au moment où fut conçue *la Chanson de Roland*, et c'est à lui que nous devons le beau thème du cor qui souligne chaque étape du drame psychologique et guerrier de Roncevaux.

Mais cette première constatation, si importante soit-elle, ne nous a pas fait faire un grand pas dans notre recherche. Le cor que l'on voyait à Saint-Seurin dès le x⁰ siècle n'était certainement pas le cor de Roland. Les cors d'ivoire venaient généralement de l'Orient méditerranéen. On en trouvait de fort beaux dans l'empire grec et celui-ci avait dû être offert à la collégiale par quelque pèlerin revenu de Terre Sainte. Comment les chanoines de Saint-Seurin l'attribuèrent-ils à Roland dont personne ne savait évidemment s'il avait possédé un olifant? Bien plus, comment les mêmes chanoines avaient-ils appris à connaître le nom de Roland? Le préfet de la Marche de Bretagne n'a joué aucun rôle éminent. Il n'est nommé que deux fois dans les textes carolingiens : dans le testament de Fulrad, abbé de Saint-Denis, qu'il signe en janvier 777 et dans le fameux passage tant de fois cité de *la Vie de Charlemagne* où Einard parle de l'affaire du 15 août 778 : « Dans ce combat furent tués le sénéchal Eggihard, le comte du palais Anselme, le préfet de la Marche de Bretagne, Roland, ainsi que beaucoup d'autres. » Ce n'est pas dans le testament de Fulrad que les chanoines de Saint-Seurin ont pris le nom du héros. Est-ce dans Einard? Ce serait vraiment miracle que la mention discrète, fugitive de la *Vita Caroli* ait retenu leur attention au point de leur dicter l'attribution d'une relique sur laquelle ils voulaient attirer la vénération des fidèles et des pèlerins. Et pourquoi auraient-ils choisi le nom de Roland plutôt que celui d'Anselme ou celui d'Eggihard? S'ils ont transféré à Roland la propriété de leur olifant, c'est que Roland était déjà connu du public qui fréquentait Saint-Seurin et cette célébrité ne venait assurément pas d'Einard.

Il existait non loin de Bordeaux un monument consacré au seul Roland et qui a pu préserver sa mémoire et son nom de l'oubli où tombèrent ses compagnons de lutte et d'infortune. Ce monument, c'est le tombeau de Roland à Saint-Romain-de-Blaye que connaissait bien l'auteur de notre *Chanson* (vers 3689-3694). Cette tombe était déjà célèbre au début du XIIe siècle. Hugues de Fleury, reproduisant le passage de la *Vita Caroli* d'Einard sur les morts de 778, ajoute : *ex quibus Rollandus Blavia castello deportatus est et sepultus.* C'est là notre témoignage le plus ancien. En raison de sa date relativement récente, on s'est demandé si l'attribution de la tombe de Blaye à Roland ne serait pas postérieure au succès du poème et une conséquence de ce succès. C'est notamment la question que s'est posée M. R. Fawtier. Son scepticisme n'a porté aucun coup décisif à l'hypothèse que, très prudemment, comme toujours, avait formulée J. Bédier : « Il se peut que le corps de Roland ait été réellement rapporté du champ de bataille et confié au sanctuaire très vénéré de Blaye. Les exemples anciens de tels transferts sont nombreux. Nous savons qu'un des seigneurs qui moururent le même jour que Roland dans les Pyrénées, Eggihard, fut rapporté du champ de bataille et enterré dans une église de Saint-Vincent [1]. » Je crois en tout cas que, grâce au texte même de Hugues de Fleury, on peut au moins affirmer que la tombe est antérieure à la version la plus ancienne de la *Chanson*. Où Hugues a-t-il pris en effet son renseignement sur l'ensevelissement de Roland à Blaye ? Certainement dans un texte français, c'est-à-dire dans une chanson de geste. Nous en avons la certitude, car reproduisant la *Vita Caroli*, il corrige l'orthographe du nom de Roland et substitue au *Hruodlandus* d'Einard le nom de *Rollandus* qui n'est que la transcription latine du Roland de la *Chanson*. La première version de *la Chanson de Roland* parlait donc déjà de la sépulture de Roland à Blaye. La tombe de Roland à Blaye existait donc déjà quand elle fut écrite. Il ne nous en faut pas davantage. M. A. Pauphilet [2], il est vrai, ayant fait la même remarque, en conclut au contraire que le témoignage de Hugues de Fleury est sans valeur et que la tombe n'existait pas. Son principal argument, c'est que la *Chanson*, source de Hugues, mentionne à côté de la tombe de Roland à Blaye celles d'Olivier et de Turpin (vers 3689-3691), qui sont des inventions tardives. Mais l'argumentation de M. Pauphilet tombe si l'on considère que la *Chanson* à laquelle il se réfère, la nôtre, ne date que de

---

1. *Légendes épiques*, 3ᵉ éd., III, p. 374.
2. *Sur la Chanson de Roland*, Romania, LIX, 1933.

1158. Hugues de Fleury, écrivant vers 1109, avait puisé son information dans la version primitive ; celle-ci devait mentionner la seule tombe de Roland, puisque Hugues ne parle que de celle-ci. Turold n'a sans doute imaginé les tombes de Turpin et d'Olivier que pour faire pièce au *Pseudo-Turpin* qui faisait ensevelir Olivier à Belin et échapper l'archevêque au massacre.

Nous pouvons comprendre maintenant comment a été conservé et transmis le nom de Roland tandis qu'étaient perdus pour la mémoire des hommes ceux d'Anselme et d'Eggihard qui avaient au moins autant de droits à devenir des héros d'épopée. Ce n'est pas par la tradition historique, mais par la tradition locale qui s'est constituée et perpétuée autour de la tombe de Blaye. C'est celle-ci qui a placé Roland au premier plan et effacé le souvenir de ses compagnons d'armes. C'est elle qui a suscité l'émulation sinon la jalousie des chanoines de Saint-Seurin. C'est par elle enfin que le nom de Roland est venu jusqu'à notre poète qui visiblement ignorait Einard, Anselme et Eggihard, mais était capable de donner la vie à Ganelon, au duc Naimes, à Turpin, à Gautier, aux douze pairs et à Olivier qui n'ont combattu dans aucune armée du roi des Francs.

Seule encore la tradition locale permet d'ailleurs de répondre à cette autre question : comment le poète a-t-il connu le nom de Roncevaux qui n'est écrit dans aucun texte carolingien ? Car, ne l'oublions pas, c'est seulement à cause de *la Chanson de Roland* que nous localisons nous-mêmes aux ports de Cize, c'est-à-dire aux ports de Roncevaux et de Bentarte la bataille du 15 août 778. De Pampelune en France il existe deux routes, celle du port de Velate à l'ouest et celle de Roncevaux. La topographie de la seconde correspond bien mieux que celle de la première au récit d'Einard; la localisation de la *Chanson* est tout à fait vraisemblable, sinon certaine. Mais, encore une fois, comment l'auteur de la *Chanson* avait-il été renseigné, puisque l'histoire officielle était silencieuse et que d'ailleurs il l'ignorait?

M. R. Fawtier n'a pas voulu pousser le paradoxe jusqu'à ressusciter la théorie des cantilènes, des chants lyrico-épiques nés de l'événement et transmis de siècle en siècle. Mais il s'est demandé s'il n'y aurait pas eu « des ballades conservant le souvenir de certains incidents des guerres de Charlemagne ». Et il évoque à ce sujet très adroitement *la Chanson de Malbrouck*. Suivons-le sur ce terrain. L'auteur de la première *Chanson de Roland* écrivait quelque deux cent vingt ou trente ans après l'affaire de Roncevaux. C'est exactement le temps qui nous sépare de la guerre de succession d'Espagne et de l'héroïque et dramatique bataille de Malplaquet où Villars fut vaincu par Marlborough. En dehors de quelques professeurs et de quelques étudiants, qui se souvient aujourd'hui de la bataille de Malplaquet? Personne, dira-t-on. Je rectifierai et je répondrai, presque à coup sûr : les habitants de Malplaquet. La mémoire d'un grand fait est emportée très vite par le torrent de l'histoire; localement ce souvenir se conserve au contraire très longtemps. Vers 1900, j'ai rencontré des paysans pyrénéens nés après 1850 qui connaissaient encore les chemins par où étaient passés les Anglais en 1814 dans leur marche sur Toulouse. Ils ajoutaient même cette précision : « Ils payaient tout avec des pièces d'or. » Peut-être un poète ignorant de l'histoire recueillerait-il aujourd'hui encore à Malplaquet de belles légendes sur les hauts faits des soldats de Boufflers et de Villars entre le bois de Lagnières et le bois de Sars le 11 septembre 1709. *La Chanson de Malbrouck* en revanche lui serait d'un bien médiocre secours. Elle ne le conduirait en tout cas sur aucun champ de bataille. Nous ne savons pas — et pour cause — si des ballades ont répercuté l'écho de la défaite de l'armée franque dans les ports pyrénéens. Nous pouvons affirmer presque à coup sûr que les montagnards des vallées où s'est livrée la bataille en ont gardé et transmis le souvenir embelli, transformé, dramatisé pendant de longues, de très longues années. C'est là que le retrouvèrent au Xe siècle les pèlerins-soldats que la piété poussait déjà vers Saint-Jacques-de-Compostelle, le long d'une route que les incursions sarrasines menaçaient régulièrement.

C'est la tradition locale pyrénéenne qui a fourni

le nom de Roncevaux, comme la tradition locale girondine et bordelaise avait transmis celui de Roland.

Cette analyse de la légende épique qui forme l'ossature de *la Chanson de Roland* nous a conduit à une première conclusion très voisine de l'une au moins des thèses de J. Bédier. Cette légende est pour une bonne part la création du poète. Mais, dans ses premiers linéaments, elle est née, a grandi, s'est conservée sur cette portion de la route du pèlerinage de Saint-Jacques qui allait de Blaye à Roncevaux. Ce sont les étapes de cette route qui ont fourni le nom du héros, celui de la bataille, le lieu du drame, enfin et surtout l'olifant qui est devenu le principal ressort de l'émotion poétique qui vivifie notre plus vieille épopée. A certains égards nous sommes allés plus loin même que J. Bédier. Car nous avons admis que la légende a pu se former sans que des clercs de Blaye, de Bordeaux ou de Roncevaux aient eu besoin de lire la *Vita Caroli*. Tout semble même indiquer que l'œuvre d'Einard n'a joué aucun rôle dans sa formation. La tradition locale a suffi. Et c'est la route qui a établi le premier lien entre la tombe de Blaye, l'olifant de Bordeaux et le champ de bataille de Roncevaux.

Jusqu'ici notre accord est complet avec le système de J. Bédier. Mais celui-ci va plus loin. Il pense que ce n'est pas seulement la légende, la matière informe du poème, mais l'œuvre elle-même qui est née sur les routes et les lieux de pèlerinage, autour des sanctuaires : « Toutes nos grandes légendes épiques, j'entends toutes celles qui ont quelque fondement historique ou quelque ancienneté sont en relation chacune avec un certain sanctuaire, qui était au XIe et au XIIe siècle étape ou but de pèlerinage. C'est là, dans ces sanctuaires ou sur les routes qui y conduisaient, qu'elles se sont formées, *par l'effort combiné de clercs et de jongleurs* pareillement intéressés à attirer et à retenir, à édifier ou à récréer les mêmes publics de pèlerins [1]. » Les chansons de geste seraient le fruit de la collaboration consciente des moines et des poètes. Elles auraient été écrites pour la route et pour les sanctuaires.

Il est impossible, je crois, de soutenir pareille thèse pour *la Chanson de Roland*. La légende de Roland s'est formée sur la route de Saint-Jacques-de-Compostelle, mais la *Chanson* n'a pas été composée pour la route. Comme l'a fait très justement remarquer M. R. Fawtier [2], elle « ignore entièrement le pèlerinage de Saint-Jacques. Bien plus elle ignore le nom même de cet apôtre et son auteur n'a jamais songé à le nommer ou à le faire invoquer par un de ses personnages ». On pourrait avec plus de vraisemblance prétendre qu'elle a été écrite pour Saint-Romain et Saint-Seurin. Les

---
1. *Commentaires,* p. 10.
2. *Op. cit.,* p. III.

deux sanctuaires ont été assurément des foyers de la.légende et celle-ci porte de son origine les marques profondes qui sont un témoignage irrécusable. J'admettrai même volontiers que le poète de la *Chanson* qui connaissait peut-être les deux églises a voulu aider à leur renommée. Mais que cette renommée constitue l'objet principal du poème, c'est là une conception inadmissible. Où étaient d'ailleurs, à la fin du Xe siècle, les foules de pèlerins à qui aurait pu s'adresser la *Chanson ?* Comme le dit J. Bédier lui-même, « le pèlerinage dut rester longtemps chose précaire. La route était peu sûre, les musulmans occupaient le pays sur plusieurs points de son parcours. Par deux fois, en 988 et en 994, Almanzor prit Compostelle et rasa l'église de l'apôtre [1]. »

La première *Chanson de Roland* ne s'adressait pas à des pèlerins. Elle a été écrite, nous le savons, par un clerc du Vermandois ou du Laonnois, pour un public français que passionnait, semble-t-il, avant tout l'affreuse lutte dynastique qui venait d'aboutir à la chute des Carolingiens. L'histoire de Roland n'est qu'un prétexte, prétexte magnifique, pour exalter la gloire carolingienne et la fidélité à la vieille dynastie. Faut-il dire, avec M. Pauphilet [2], que *la Chanson de Roland* n'est pas en vérité une *Chanson de Roland,* mais une *Chanson*

---

1. *Légendes épiques,* 3e éd., III, p. 71.
2. *Sur la Chanson de Roland,* Romania LIX, 1933.

de Charlemagne? M. Pauphilet a surtout utilisé pour étayer sa thèse l'épisode de Baligant où l'empereur passe évidemment au premier plan. Mais cet épisode, je crois l'avoir montré, est l'œuvre propre du rédacteur de la version anglo-angevine. Si habilement que son insertion ait été faite, il est clair qu'il n'appartient pas à la même veine que le récit de la bataille et de la mort de Roland. Turold qui l'écrivit était un bon ouvrier de lettres, scrupuleux dans ses énumérations, honnête dans ses descriptions, capable de quelques beaux mouvements, mais trop familier avec les habitudes du métier pour toujours échapper à la froideur et à la convention. L'argumentation de M. Pauphilet est pleine de feu et d'ingéniosité. Hélas! quand le lecteur du poème aborde l'épisode de Baligant, il éprouve le sentiment de descendre des sommets dans une plaine consciencieusement cultivée. Aucune démonstration ne prévaudra jamais contre cette impression. Mais, cette réserve faite, M. Pauphilet a, au fond, vu juste. *La Chanson de Roland* est quoi qu'il dise, une *Chanson de Roland*, mais elle est toute imprégnée de préjugé carolingien.

Alors pourquoi, dira-t-on, son auteur a-t-il choisi ce héros et non Charles lui-même? Je pourrais me borner à répondre : parce que le héros et sa légende lui avaient plu, qu'il les avait trouvés dramatiques et poétiques à souhait. J'ajouterai : parce que tous les vrais poètes savent et sentent qu'il est presque impossible d'écrire une œuvre vivante et pathétique avec, comme héros principal, un grand personnage de l'histoire : il n'est pas une seule chanson de la geste du roi où Charlemagne joue le rôle principal. Je ferai remarquer enfin que la conception de la *Chanson* répond exactement au dessein que pouvait former un poète du parti carolingien puisqu'elle montrait et proclamait que Charlemagne et les siens ne pouvaient être vaincus que par trahison.

On demandera peut-être aussi d'où vient que dans ce vieux poème d'inspiration carolingienne souffle déjà l'esprit de la Croisade. Je rappellerai que la question de la guerre d'Espagne était au premier plan de l'actualité lors de la révolution de 987. Au moment de sa mort, le 2 mars 986, le roi Lothaire avait auprès de lui une ambassade de Borel, comte de Barcelone, qui venait implorer son secours contre les Sarrasins qui, sous la conduite d'Almanzor, avaient six mois auparavant pris et pillé Barcelone. Le comte Borel renouvela son appel après l'avènement de Hugues Capet. Celui-ci s'en servit très adroitement pour décider l'archevêque Adalbéron à couronner son fils Robert en lui représentant qu'il fallait un chef à l'armée et pour exiger du comte de Barcelone un serment de fidélité. Le secours ne fut jamais envoyé. A cette impuissance, à ce mauvais vouloir, au moment même où Almanzor accumulait les succès contre les chrétiens d'Espagne et saccageait à deux reprises Compostelle, *la Chanson de Roland* opposait les services en partie vrais, en partie imaginaires rendus par Charlemagne à la cause de la chrétienté. Rien n'indique qu'elle s'adressât à des pèlerins.

Ce n'est pas pour eux, pour les sanctuaires qu'ils rencontraient sur la route de Saint-Jacques que *la Chanson de Roland* a été écrite. Est-ce à dire que, plus tard, profitant du succès de la *Chanson*, les moines ou les chanoines de ces sanctuaires ne l'aient pas mise au service de leurs églises et de leurs saints? Si, assurément; et nous en avons trouvé, chemin faisant, un exemple frappant : une version de la *Chanson* fait déposer les douze pairs à Arles, dans le cimetière des Aliscamps, que possédaient au moins en partie les moines de Saint-Victor de Marseille. Je suis assez enclin à croire en effet que, au XIIe siècle, qui fut la grande époque des remaniements des chansons de geste, le zèle des moines joua un rôle important dans ces renouvellements. Mais ce serait aussi une erreur de croire que ce zèle ardent et égoïste réussit toujours à écarter les autres grands intérêts qui pouvaient utiliser la popularité des chansons de geste. Témoin la version de 1158, l'œuvre de Turold, qui, faisant sienne la conception cistercienne de la Croisade, songe aussi à servir la gloire et les desseins d'Henri Plantegenet. En un mot la vie et l'histoire de *la Chanson de Roland* sont mêlées intimement à toute la vie, à toute l'histoire de la France et du peuple français pendant deux siècles. Et il en fut sans doute de même pour la plupart des chansons de geste.

Dieu me garde de vouloir généraliser précipitamment les résultats de cette enquête qu'a seul inspiré le désir de mieux comprendre une œuvre qui émeut profondément par sa beauté simple et vigoureuse ! Je demande toutefois la permission de formuler en quelques propositions simples les réflexions qu'elle m'a suggérées.

Je crois que les sanctuaires, centres de dévotion et de pèlerinage, ont joué un rôle important dans la formation, dans la conservation et la transmission des légendes locales dont beaucoup ont été reprises, amplifiées, magnifiées par les auteurs de chansons de geste.

Je ne crois pas que toutes les légendes épiques soient d'origine ecclésiastique. J. Bédier, à propos de *la Prise d'Orange*, n'a-t-il pas proclamé lui-même que « le point de départ de la légende d'Orange est et demeure un mystère [1] » ? Celle que développe *le Couronnement de Louis* est d'origine purement seigneuriale et consacrée à l'illustration de la maison d'Aquitaine. En dépit de quelques indications fugitives, sans doute tardives, et introduites par des remanieurs, il ne semble pas que *la Chanson d'Otinel* ou celle d'*Apremont* soient dues à autre chose qu'au désir de rattacher les conquêtes des Normands en Italie à des entreprises imagi-

---

[1] *Légendes épiques*, 3ᵉ éd., I, p. 315.

naires de Charlemagne. Car je suis convaincu que les conquêtes légendaires du grand empereur devenaient, une fois célébrées par les chansons de geste, des titres pour les conquérants qui ne faisaient en somme que reprendre possession de terres déjà franques. Ainsi Charlemagne fut fait sans doute suzerain de Constantinople quand Robert Guiscard eut des visées sur l'empire byzantin. Ainsi naquit vraisemblablement à la veille de la première Croisade la légende de son expédition à Jérusalem. Ainsi s'explique encore la colère et les protestations véhémentes des écrivains espagnols, et notamment du moine de Silos qui, au début du XIIe siècle, nie toute conquête carolingienne en Espagne. Le nationalisme espagnol se défendait par avance contre les prétentions et les empiétements des moines et des croisés francs.

Je ne crois pas que les chansons de geste aient été dictées, ni même suggérées à des jongleurs par des moines ou des chanoines avides de publicité pour leurs sanctuaires.

Je crois en revanche que les mêmes moines, les mêmes chanoines ont fait volontiers de la publicité aux chansons de geste qui nommaient ou célébraient leurs sanctuaires et qu'ils ont grandement encouragé les remanieurs à ne pas oublier leurs maisons, leurs saints et leurs mérites.

Je crois enfin et surtout que pour comprendre les chansons de geste et saisir les raisons *vraies* de leur éclosion et de leur succès, il faut les confronter avec les mouvements politiques, les courants moraux et religieux de l'époque où elles sont apparues. *La Chanson de Roland* est toute vibrante des passions soulevées par le changement de dynastie. *Le Couronnement de Louis* reflète la grandeur et les ambitions des comtes de Poitiers, ducs d'Aquitaine et suggère qu'il y aurait sans doute beaucoup à tirer pour l'intelligence du cycle de Guillaume de l'étude des rapports et de la rivalité des maisons de Poitiers, de Toulouse et de Barcelone. *Girard de Roussillon* respire l'horreur des guerres privées, nées de l'orgueil et de la démesure, terribles aux gens d'église, néfastes aux grands eux-mêmes et sources de tels crimes que seuls peuvent les racheter de larges dons aux églises et aux moines, la fondation de nombreux moutiers, de grands repentirs et d'exemplaires pénitences. Le même sentiment inspire *Raoul de Cambrai, Ogier de Danemarche, Renaud de Montauban.* Je vois dans ces quatre chansons d'inspiration « féodale », dont nous ne possédons, hélas! que des renouvellements tardifs, d'irrécusables témoins de la campagne acharnée, inlassable, conduite par l'Eglise durant tout le XIe siècle contre les instincts brutaux de la noblesse dont la guerre était l'occupation, la joie et le malheur, pour la paix de Dieu, le « pacte de paix », le serment de paix, la trêve de Dieu. Je crois qu'on risque de mal les comprendre si on ne les rattache pas à ce grand mouvement qui ébranla l'âme du peuple entier. Je pense surtout qu'on oublie peut-être la raison essentielle de leur immense popularité.

N'est-il pas éclatant enfin que la constitution de l'empire anglo-angevin a exercé une influence décisive sur l'évolution de notre littérature épique, non seulement sur l'éclosion du cycle d'Arthur, ce qui est naturel, mais aussi, nous l'avons vu, sur d'autres chansons et d'abord sur le *Roland* ?

La magnifique forêt de nos chansons de geste a dans notre histoire des racines extrêmement profondes. Les poètes qui les ont créées ont fait beaucoup plus que d'évoquer quelques souvenirs historiques perdus dans la légende, beaucoup plus que de célébrer les saints et les héros de quelques sanctuaires. Ils ont exprimé l'âme d'un pays, de notre pays.

APPENDICES

APPENDICE I

L'ARMÉE DE BALIGANT

Si notre thèse est exacte, si l'auteur de notre *Chanson*, ou plutôt celui de la *Geste Francor*, a connu et utilisé les historiens des Croisades, nous devons retrouver dans son récit les noms des lieux et des hommes d'Orient que la renommée de la grande entreprise a apportés jusqu'en Occident.

Je précise. Il ne saurait être question de se lancer après tant d'autres dans le jeu périlleux des identifications. M. H. Grégoire a entendu démontrer que la lutte de l'amiral de Babylone contre Charlemagne n'est que le déguisement transparent de la guerre conduite par Georges Paléologue contre le duc de Pouille. Il ne s'agit nullement de prouver à présent que cette partie de la *Chanson* n'est que le récit transposé d'un ou de plusieurs épisodes de l'expédition de Jérusalem ni, suivant l'exemple de M. Boissonnade, de la considérer comme un inventaire méthodique de l'ethnographie orientale au XIIe siècle. Le propos est différent, plus modeste et plus précis. Il consiste à se reporter au répertoire de noms de lieux, de villes, de pays, de peuples, de personnes transmis par la tradition écrite, poétique ou orale à l'occasion des campagnes et des conquêtes des croisés et à se demander si un certain nombre de ces appellations, plus ou moins altérées, déformées, dénaturées, ne pourraient pas expliquer avec une vraisemblance suffisante certains noms encore mystérieux des contingents et des chefs païens dont le poète a peuplé son récit. Peu importe qu'il ait confondu les hommes et les choses, qu'il ait fait d'un nom d'émir un nom de contrée, du nom d'une ville le nom d'un roi, que son ignorance, son indifférence, ou plus simplement sa fantaisie aient pillé au hasard ce trésor. Victor Hugo jetait bien au hasard de la rime et du vers Ur, Galgala, Phétor, Balac, Assur et même Jerimadeth ! L'auteur de *la Chanson de Roland* était lui aussi un poète. Il faut le traiter en poète.

Prenons un exemple. Parmi les noms qui émaillent l'épisode de Baligant, l'adjectif « leutiz » paraît deux fois dans le récit :

3205 Dapamort, un altre rei leutiz...
3360 Guineman justet a un rei leutice...

Le mot est comme calqué sur le nom de la ville de Laodicée qui joua un si grand rôle dans l'histoire des principautés franques de Syrie. Or J. Bédier rappelle [1] très opportunément que l'auteur du *Roman de Troie* emploie le mot leütiz en des passages où son modèle, Darès, dit *Lycia*. Mais

---

1. *Commentaires*, p. 515.

Laodicée s'appelait aussi *Licia*[1]. C'était même sans doute dans la pratique le nom le plus usité, car c'est de lui qu'est dérivé le nom « franc » de Laodicée, *la Liche*. L'équivalence de *Licia* (ou *Lycia*) et de *leutiz* permet de conclure avec une quasi-certitude à l'identité de *leutice* et de *Laodicée*. Le nom de ville est devenu un adjectif national.

La bataille de Dorylée livrée le 1ᵉʳ juillet 1097 fut une grande victoire qui ouvrit aux croisés les routes de l'Anatolie. Si notre auteur a connu les récits de la Croisade, nous devons rencontrer sa trace dans son œuvre. Je suis enclin à la trouver dans *Torleus*[2], « li reis persis » : la cité, cette fois, s'est muée en prince. Je la retrouve aussi, avec quelque hésitation, dans les vers suivants :

```
3311  Li amiralz en apelet sun frere
      Ço est Canabeus, li reis de Floredee
```

Dans certains manuscrits de Foucher de Chartres, nous lisons en effet que la bataille de Dorylée a été livrée *in campo Florido*. Peut-être ce *campus Floridus* a-t-il donné naissance à *Canabeus* et à *Floredee*. La coïncidence verbale est, en tout cas, assez remarquable. Le roi *Flurit* du vers 3211 n'a peut-être pas lui aussi d'autre origine. Un poète peut jouer avec les mots.

Et si l'on veut entrer dans ce jeu, comment ne

---

1. Cf. *Gesta Anon. Hist. occ.*, III, p. 192.
2. Vers 3204, 3216, 3354.

pas être frappé par toute une série de concordances ? En voici une : Baligant s'adressant à son fils Malpramis lui dit :

3207   Jo vos durrai un pan de mun païs
       Dès Cheriant entres qu'en Val Marchis.

Pourquoi *Cheriant* ne viendrait-il pas de la ville de *Charran* située en Mésopotamie et mentionnée par Foucher de Chartres sous le nom de Charram [1] tandis que *Marchis* représenterait la place forte de *Mariscum*, citée par le même Foucher [2] et qui n'est autre que Marasch déjà rencontré sous le nom de Marusis ? M. H. Grégoire a cru reconnaître dans *Val Penuse* du vers 3256 le Pénée, fleuve de Thessalie. Mais Foucher de Chartres [3] connaît la ville de *Paneas*, l'ancienne Cesarée de Philippe, dans la haute vallée du Jourdain.

Il est un autre Val dont l'identification, ou plutôt l'emprunt à l'histoire des Croisades me paraît hautement vraisemblable, c'est le Val Sevrée (v. 3313). Ici je veux citer Foucher de Chartres lui-même. Racontant l'expédition de 1126 contre Damas, il écrit : *Postmodum vero venerunt ad vallem, quam Marcisophar vocant, hoc est in pratariis Sophar, ad locum in quo Paulus apostolus a Domino colaphum accepit* [4]. Le nom de ce val

---
1. *Hist. occ.*, III, p. 409.
2. *Ibid.*, p. 337.
3. *Ibid.*, p. 367.
4. *Ibid.*, p. 477.

Sophar, où saint Paul reçut sa révélation, nom qui a dû s'imprimer — en se déformant légèrement, en se francisant — dans la mémoire des pèlerins et des Francs d'Orient, ressemble étrangement, on le confessera, à celui du Val Sevrée de notre poète.

Continuons. Parmi les localités de Terre Sainte il en est une qui fut au XIIe siècle tristement célèbre, c'est Ramleh. C'est là, non loin de Jérusalem, que furent pris ou massacrés, le 31 mai 1102, les derniers débris de l'armée de renfort envoyée par l'Occident au secours du jeune royaume de Jérusalem. Le nom de Ramleh, comme la plupart des noms orientaux, est déformé par les historiens des Croisades qui l'appellent Rama, Ramatha, Ramula, Ramola. Les deux dernières dénominations sont les plus fréquentes. C'est la forme Ramola qu'a adoptée notamment le plus vénérable d'entre eux, l'auteur anonyme des *Gesta Francorum*[1]. Or parmi les peuples réunis sous la bannière de Baligant nous trouvons les *Ormaleus* ou *Ormaleis* (vers 3243 et 3284). La distance entre *Ramola* et *Ormaleis* est infiniment moins grande que celle que dut parcourir M. H. Grégoire quand il voulut franchir celle qui sépare les *Nemices* et les *Micenes*.

Et si l'on ne repousse pas *a priori* l'idée de la métathèse, d'autant plus admissible que — répé-

---

1. *Hist. occ.*, III, p. 158.

tons-le — le poète joue avec les mots à lui transmis par la tradition écrite ou verbale, on admettra sans trop de peine que les géants de *Malprose* (3253) ou de *Malpreis* (3285) viennent tout simplement de Palmyre connue de Foucher de Chartres et citée par lui [1], et que les gens d'*Argoilles* (3259) sont les gens d'Héraclée [2].

Mais, dira-t-on, si notre poète a ainsi été familier avec les récits écrits ou parlés relatifs aux premières expéditions de Terre Sainte, comment ne trouve-t-on dans son récit aucune trace, aucune mention des chefs sarrasins contre lesquels eurent à lutter les croisés ? Cette affirmation est-elle bien exacte ? Il est au moins un adversaire des croisés, le plus puissant, qui figure en bonne place dans la *Chanson*, c'est l'amiral de Babylone, le calife du Caire. Mais peut-être n'est-il pas seul. Au vers 3507 surgit en effet dans le camp païen un nommé Jangleu, « Jangleu l'ultremarin » qui prédit sa défaite prochaine à Baligant. Or Foucher de Chartres [3] nous parle dans son récit d'un prince turc d'Emesse, Genah Eddaule, qu'il appelle *Ginahadoles*. Ce Ginahadoles pourrait bien être le parrain de Jangleu. L'hypothèse est au moins vraisemblable surtout si l'on songe aux tortures qu'ont fait subir les croisés aux noms sarrasins transposés par eux dans le vocabulaire franc.

---

1. *Hist. occ.*, III, p. 318.
2. L'identification a déjà été proposée par M. P. Boissonnade.
3. *Hist. occ.*, III, p. 373.

Ces déformations, parfois incroyables, vout d'ailleurs nous permettre peut-être de retrouver dans l'armée de Baligant les noms des deux principaux chefs turcs qu'eurent à vaincre les conquérants de Jérusalem. Il s'agit de Yaghi Sian, l'émir qui défendit Antioche contre les croisés, et de Kerbogha, celui qui conduisit contre la ville tombée dans leurs mains la grande armée qui fut défaite, après l'invention de la sainte lance, le 28 juin 1098. Le nom porté par le premier a eu des fortunes diverses. Son titulaire est généralement dénommé Cassianus par les historiens des Croisades. On trouve aussi la forme Capsianus. Mais Foucher de Chartres, déjà nommé, l'appelle, lui, Aoxianus [1] qui est probablement la meilleure transcription. Or, nous le savons, parmi les « escheles » de Baligant figure un contingent « d'Occian la desert » que le poète décrit avec truculence :

> 3246 E la disme est d'Occian la desert :
> Ço est une gent ki Damnedeu ne sert
> De plus feluns n'orrez parler jamais ;
> Durs unt les quirs ensement cume fer ;
> Pur co n'unt soign de elme ne d'osberc ;
> En la bataille sunt felun e engrès.

Son imagination se donne, on le voit, libre cours ; elle était assurément capable de faire d'un émir turc une contrée déserte.

---
1. *Hist. occ.*, III, pp. 340, 343, 345.

Le nom de Kerbogha n'a pas été plus épargne que celui de Yaghi Sian par les chroniqueurs francs. Corbagan, Corbagas, Corbaran se disputent en général leurs préférences. Mais Robert le Moine [1] emploie Corbanam et l'auteur des *Gesta* [2] Corbanas. J'admettrais volontiers que ces deux derniers termes nous donnent la clef, tant cherchée, du nom de la neuvième « eschele » du troisième corps d'armée de Baligant :

3259   L'oidme est d'Argoilles e la noefme de Clarbone.

Cette Clarbone orientale au nom d'allure si française peut descendre en droiture de Carbonas ou de Carbonam, autrement dit de Kerbogha.

Nous serions donc en pleins souvenirs de la Croisade. En tout cas, nous saisissons le procédé du poète, qui jongle avec les noms, joue des mots et des sons avec déjà la même désinvolture dont devaient user quelque huit cents ans plus tard nos poètes du romantisme. Il est possible aussi — et cette hypothèse n'est pas sans vraisemblance — que notre poète ait trouvé beaucoup de ces noms déjà déformés et dénaturés dans sa source latine qui avait utilisé elle-même les historiens des Croisades. Sa fantaisie en tout cas est certaine : elle l'amène à grossir ses énumérations de noms de peuples qui ne sont que des adjectifs pittoresques : les Bruns, les Gros, les Nigres et les Blos, c'est-à-

---

1. *Hist. occ.*, p. 808.
2. *Hist. occ.*, III, pp. 191, 192.

dire les « blois », les blonds, sans parler des Enfruns qui sont les Gloutons [1].

Et je ne résiste pas à la tentation d'énoncer une hypothèse qui achèvera de nous édifier sur sa façon de nourrir et d'illustrer ses listes de peuples exotiques.

Parmi les contingents de l' « amiraill de Babilonie » s'avancent au vers 3242 les *Solteras*. Tous les commentateurs ont renoncé à découvrir la patrie de ces Solteras. Ils ont eu raison. Car les Solteras ne sont vraisemblablement pas autre chose que les sauterelles, les saultereaux, un des fléaux avec lesquels les croisés et les colons francs firent connaissance en Orient. Les historiens des Croisades les mentionnent à diverses reprises. Foucher de Chartres nous signale notamment comment en avril et en mai 1114 une « multitude infinie de sauterelles » venue d'Arabie s'abattit sur la Palestine et dévasta les récoltes en quelques jours [2]. Le poète de Baligant n'a pas balancé à ranger ces envahisseurs d'un genre nouveau parmi les ennemis des chrétiens et de Charlemagne. Ce détail suffirait à lui seul à dater le passage. Seules les Croisades ont pu rendre familières à un poète d'Occident les nuées dévastatrices de « Solteras » lancées sur les nouvelles terres chrétiennes par le désert païen.

---

1. Vers 3224, 3225, 3229, 3518.
2. *Hist. occ.*, III, p. 428.

APPENDICE II

TABLEAU GÉNÉALOGIQUE DE *LA CHANSON DE ROLAND*

Dans ce tableau les versions hypothétiques sont placées entre crochets :

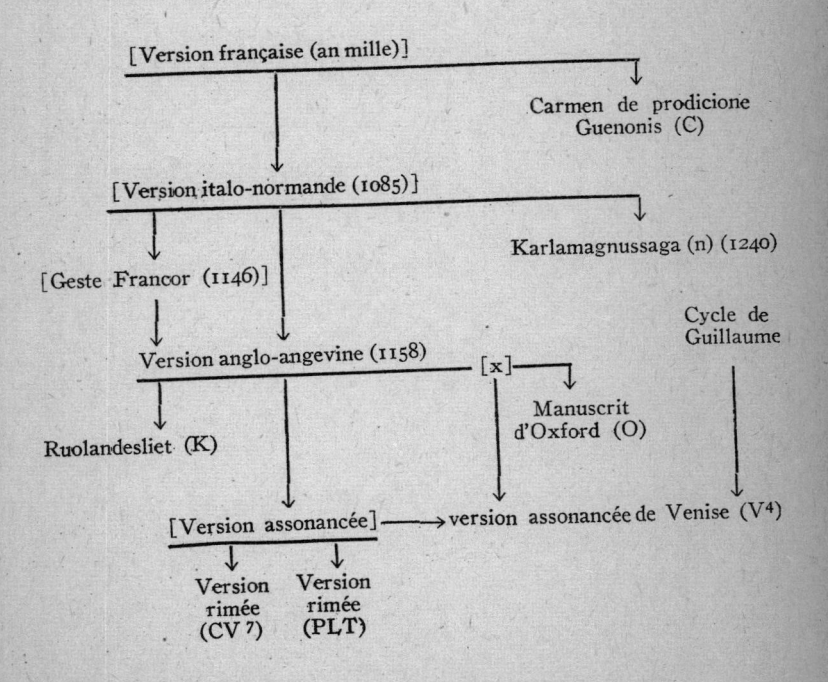

[Version française (an mille)]
→ Carmen de prodicione Guenonis (C)

[Version italo-normande (1085)]
→ Karlamagnussaga (n) (1240)

[Geste Francor (1146)]

Version anglo-angevine (1158)

[x] → Manuscrit d'Oxford (O)

Ruolandesliet (K)

Cycle de Guillaume

[Version assonancée] → version assonancée de Venise (V^4)

Version rimée (CV^7)   Version rimée (PLT)

APPENDICE III

LA CHANSON DE *GAYDON*

Le texte de la Chanson de *Gaydon* qui a été publié par Siméon Luce en 1862 dans la collection des Anciens poètes de la France, d'après le manuscrit 860 du fonds français de la Bibliothèque nationale, a certainement été écrit au XIIIe siècle. Tout l'indique : les longueurs du récit, les laisses interminables, la multiplicité diffuse des épisodes romanesques, enfin quelques allusions très précises, notamment celle du vers 6456, aux moines cordeliers et jacobins. Mais tout indique aussi, comme nous l'avons dit au chapitre V, que ce roman n'est qu'un renouvellement, une mise au goût déplorable du siècle d'une chanson plus ancienne composée entre 1154 et 1158 à la gloire de la Maison d'Anjou.

Ce dernier poème était-il entièrement original ? C'est extrêmement peu vraisemblable. Je crois au contraire que le poète angevin a lui aussi utilisé un poème plus ancien qui n'avait rien à voir avec les comtes d'Anjou et avec leurs prétentions et auquel il a cousu un certain nombre d'épisodes, qui transportaient à Angers le centre de l'action, notamment : la retraite de Gaydon à Angers, le défi de Gaydon à Charlemagne, l'arrivée de Charlemagne sous les murs d'Angers, la bataille, l'entrevue de Gaydon et de la reine Claresme, la visite d'Angers par Charlemagne et le duc Naimes déguisés en pèlerins. Ce poète ne manquait pas de talent. C'est lui notamment qui a imaginé le personnage du vavasseur Gautier, mi-rustre, mi-gentilhomme, dessiné avec beaucoup de verve et d'humour. Son œuvre malheureusement se trouve noyée dans les bavardages du versificateur du XIIIe siècle, ainsi d'ailleurs que celle du poète primitif. Quelques indices permettent peut-être de remonter jusqu'à celui-ci.

Dans un manuscrit du *Gaydon* copié au XVe siècle, le 1475 du fonds français de la Bibliothèque nationale, on lit avant le vers 5255 de l'édition S. Luce un résumé [1] du récit qui précède. Or, trait remarquable, ce résumé est fort différent du récit que nous lisons aujourd'hui. Il ignore notamment tous les épisodes angevins antérieurs au vers 5255 ; il ne connaît du *Gaydon* actuel qu'un seul épisode, le premier, qui se passe à Nobles, au camp de Charlemagne, celui de la trahison de Thiébaut, frère de Ganelon. Thiébaut, désireux de venger son frère, de tuer Charlemagne et de devenir roi

---

[1]. S. Luce cite ce résumé, pp. 342-344.

de France, fait porter à l'empereur au nom de Gaydon, ami du souverain, un présent de fruits empoisonnés. Charlemagne découvre la fraude et accuse Gaydon. Thiébaut soutient l'accusation. Duel judiciaire entre l'accusateur et l'accusé. Gaydon est vainqueur. Mais ici les deux récits, celui de la *Chanson* et celui du résumé, divergent. Dans la *Chanson,* Gaydon vainqueur tranche la tête de Thiébaut, dont l'empereur fait pendre le corps, après quoi le roi et le vassal se réconcilient, pour peu de temps il est vrai, car les machinations des traîtres recommencent aussitôt. Dans le résumé, cette réconciliation n'a pas lieu, car aussitôt après la mort de Thiébaut, ses amis envahissent le champ du combat et se précipitent sur le vainqueur, au secours de qui volent ses partisans. Il en résulte une bagarre sanglante au cours de laquelle Charlemagne continue à prendre parti contre Gaydon.

Ce résumé, inséré, on ne sait comment, au milieu d'un poème construit sur un thème tout différent, nous donne sans doute le canevas du début du poème primitif. Nous en lisons vraisemblablement la suite dans les vers 5255-5545 de l'édition S. Luce, profondément modifiée, bien entendu, par les remaniements postérieurs, mais discernable encore. Dans ce passage en effet une discussion, en pleine bataille, a lieu entre l'empereur, Gaydon et le duc Naimes, incompréhensible dans le texte actuel, toute naturelle, au contraire, s'il s'agit de dire le droit après le duel dont la conclusion a été interrompue par la bagarre provoquée par les amis du vaincu. Dans ce même passage, d'autre part, nous lisons, ô surprise! au vers 5341, que les Lombards figurent parmi les adversaires de Gaydon. Nous allons voir la portée de cette remarque.

Y a-t-il quelque autre épisode du roman actuel que l'on puisse avec quelque vraisemblance rattacher au poème primitif? Un seul, semble-t-il, le dernier. On y voit en effet les parents de Thiébaut d'Aspremont reprendre le dessein de celui-ci, dessein qui a été oublié pendant neuf mille vers : tuer Charlemagne et s'emparer de la couronne. Ils enlèvent donc l'empereur et vont le mettre à mort. Mais Gaydon, averti par un ange, vole au secours de son souverain et le sauve. Le suzerain injuste et le vassal fidèle se réconcilient.

Angers n'était naturellement pas le théâtre de l'action brève, dramatique, d'un médiocre intérêt au demeurant, que racontait ce poème ancien. Angers n'est devenue la scène principale du drame que lorsque le héros Gaydes ou Gaydon eut été, non sans peine, identifié avec Tierri, le combattant de Roncevaux, le vainqueur de Pinabel, et que ce Tierri eut été lui-même introduit dans la famille des comtes d'Anjou [1]. Où se passait l'action primitive? Il semble bien que ce soit en Italie méridionale. Remarquons d'abord que l'action commence

---

[1]. A deux reprises, il est expliqué dans le poème que Tierri est devenu Gaydon, parce que, après son combat avec Pinabel, un geai, un « gay », est venu se poser sur son heaume.

à Nobles où campe l'armée et que Nobles est située au bord de la mer :

> 36 De III grans lieues ne sevent tant garder
> De nulle part, par terre ne sur mer,
> Que onques voient fors pavillons et trés.

Ce Nobles évoque Naples presque invinciblement. Mais il est des indications plus précises : Thiébaut raconte à ses complices comment il fut élevé par un oncle abbé qui l'instruisit dans l'art de « nyngremance » et qui voulait faire de lui son successeur. Mais son frère Ganes, décidé à le faire armer chevalier, le retira de l'abbaye et le fit conduire près de lui « en Espolisce ». Or, Espolisce, c'est Spolète, siège d'une des principales principautés lombardes contre lesquelles eurent à lutter les conquérants normands en Italie méridionale. Quelle est, d'autre part, l'abbaye où fut élevé Thiébaut? Le texte de Siméon Luce dit : Saint-Denis. Mais un autre manuscrit du XIIIe siècle que l'éditeur cite fort opportunément [1] dit que cette abbaye était celle de Ravanne, c'est-à-dire de Ravenne. Thiébaut, d'autre part, est Thiébaut d'Aspremont. Or Aspremont est une région montagneuse située à l'extrémité de la Calabre, qui s'appelle encore aujourd'hui Aspromonte et qui fut le théâtre d'une expédition légendaire de Charlemagne racontée tout au long dans *la Chanson d'Apremont*. Si l'on

---

1. Préface, p. XXIII.

ajoute enfin que les Lombards figurent parmi les troupes qui défendent les intérêts des traîtres de la lignée de Ganelon, ou plutôt de Ganes de Spolète, on admettra que la démonstration est faite.

La plus ancienne Chanson de *Gaydon,* rédigée vraisemblablement vers la fin du XIe siècle, faisait donc partie du groupe de chansons de geste destinées à raconter les expéditions et les conquêtes imaginaires de Charlemagne en Italie méridionale. Elle appartient à la même veine épique que *la Chanson d'Otinel* et *la Chanson d'Apremont.* La formation de ce groupe d'épopées est évidemment liée a la conquête normande. Ces récits sont très vraisemblablement, comme nous l'avons vu, destinés à justifier cette conquête en démontrant que les terres où s'installent les Normands sont déjà, en droit, des terres franques.

Gaydon, avant de servir les ambitions d'Henri II Plantegenet, avait donc été associé aux entreprises italiennes des fils de Tancrède de Hauteville. Et l'histoire de sa Chanson comme celle de tant d'autres chansons de geste se trouve elle aussi mêlée étroitement à l'histoire de France, non pas à l'histoire des temps où elle est censée nous placer mais à celle du temps où elle fut écrite.

APPENDICE IV

LA LUTTE DE CHARLES DE LORRAINE ET DE HUGUES CAPET

D'APRÈS RICHER [1]
(988-991)

14. — CHARLES ADRESSE DES DOLÉANCES A SES AMIS AU SUJET DU TRONE. — Pendant ce temps, Charles récriminait vivement auprès de ses amis et de ses parents et les apitoyait en sa faveur :

....

15. — Ebranlés par ces paroles, tous promettent aussitôt leur aide et s'apprêtent avec empressement à le secourir. Sur leur conseil, Charles commença à envoyer des espions pour examiner avec perspicacité s'il n'y avait pas moyen d'entrer à Laon. Ceux-ci s'y rendirent, firent une enquête, mais reconnurent qu'il n'y avait pas d'accès. Ils se concertèrent toutefois en secret avec quelques habitants pour chercher un moyen d'aboutir. A cette époque, Adalbéron, évêque de la ville, pressurait injustement ses habitants sous prétexte de loi agraire. Aussi plusieurs d'entre eux, se détachant

---

[1]. RICHER, *Histoire*, livre IV. Ed. et trad. de M. Robert Latouche, Paris, « Les Belles-Lettres », 1937.

secrètement de lui, tout en feignant de lui conserver leur sympathie, promirent-ils aux espions de faire entrer Charles dans la ville.

16. — Comment Charles pénétra a Laon. — Ces habitants s'engagèrent à livrer la ville à Charles quand il se présenterait, à condition qu'il leur laissât et même accrût leurs biens. Lorsque le traité eut été confirmé par serment, les espions rapportèrent à Charles ce qu'ils avaient fait. Ce dernier informa aussitôt de la nouvelle les personnes de son entourage qu'il avait entraînées par les doléances reproduites plus haut, et celles-ci se réunirent toutes en temps opportun pour se mettre à sa disposition.

Charles arriva avec ses troupes à Laon au moment précis où le soleil se couchait et envoya ses espions aux transfuges pour savoir d'eux ce qu'il y avait à faire. Ses troupes étaient restées cachées au milieu de plants de vignes et de haies, prêtes à pénétrer dans la ville si la fortune le permettait ou à résister les armes à la main si les circonstances l'exigeaient. Ceux qui avaient été envoyés en avant pour préparer l'embuscade allèrent à la rencontre des traîtres en passant par des endroits prévus et repérés et leur annoncèrent que Charles était arrivé avec une importante cavalerie. Les traîtres, joyeux, renvoyèrent les espions et firent dire à Charles de venir rapidement.

A cette nouvelle, Charles, gravissant les pentes

de la colline, se présenta à la porte de la ville. Au bruit des hennissements de chevaux et du cliquetis des armes, les veilleurs se doutèrent que des gens étaient là. Du haut des murs, ils crièrent : « Qui vive ! » et criblèrent de pierres les arrivants. Les traîtres répondirent immédiatement que c'étaient des habitants de la ville. Ce mensonge trompa les veilleurs qui ouvrirent la porte de l'intérieur et laissèrent, à l'heure du crépuscule, entrer l'armée, qui ne tarda pas à remplir la ville. On s'empara des portes près desquelles on plaça des gardes pour que personne ne s'échappât. Les uns sonnaient de la trompette, d'autres poussaient des cris ; certains agitaient bruyamment leurs armes. Ignorant ce qui se passait, les habitants, effrayés, sortaient fiévreusement de leurs maisons pour tâcher de se sauver ; quelques-uns se dissimulaient dans des coins retirés des églises ; d'autres se barricadaient dans diverses cachettes ; d'autres, même, se précipitaient du haut des murailles en sautant. L'évêque [1], qui avait déjà réussi à s'échapper en dévalant de la colline, fut découvert seul au milieu des vignes par des guetteurs et conduit à Charles, qui le jeta en prison. Charles saisit aussi et confia à des gardiens la reine Emma [2], à l'instigation de laquelle il croyait avoir été écarté par son frère. Il s'empara, en outre, de presque toute la noblesse de la ville.

---

1. Adalbéron, surnommé Ascelin.
2. Femme de Lothaire, qui avait été déjà accusée par Charles de Lorraine d'adultère avec Adalbéron-Ascelin, évêque de Laon.

17. — Quand le désordre se fut calmé et que la tranquillité fut rendue à la cité, Charles commença à s'inquiéter et à s'occuper tant de la défense de la ville que du ravitaillement des troupes ; il chargea cinq cents sentinelles de veiller toutes les nuits, en armes, dans la ville et sur les remparts, fit amener des vivres de tout le pays de Vermandois et mit ainsi la place en état de résister ; il surmonta de hauts créneaux la tour, dont les murs étaient alors peu élevés, et l'entoura entièrement de larges fossés ; il commanda enfin des machines de guerre contre les ennemis. On amena donc les poutres de bois nécessaires pour les dresser ; on aiguisa des pieux et on tressa des claies ; on appela aussi des forgerons pour fabriquer des projectiles et garnir de fer tous les objets qui en avaient besoin. On trouva des tireurs d'arbalète assez adroits pour traverser sûrement en ligne droite une boutique, munie de deux ouvertures, et même pour atteindre immanquablement des oiseaux en plein vol, les transpercer et les abattre du haut des airs.

18. — Hugues attaque Charles. — La nouvelle de ces opérations vint aux oreilles des rois [1]. Ils en furent profondément émus ; mais, loin d'agir avec précipitation, ils réfléchirent mûrement sur la situation, comme ils le faisaient toujours. Ils

---

[1]. Hugues et son fils. Robert.

dissimulèrent même complètement leur irritation. Ils envoyèrent des ambassadeurs de tous les côtés et convoquèrent les Français, des rives de la Marne à celles de la Garonne, pour marcher contre l'usurpateur.

Quand ces troupes se furent concentrées, les rois en formèrent une armée. Ils se demandèrent alors s'ils devaient attaquer la ville, sans attendre que l'ennemi y eût établi une garnison plus importante et, celle-ci prise, massacrer l'usurpateur, car il suffisait que lui seul fût pris ou tué pour qu'eux régnassent aussitôt tranquillement. Ne devaient-ils pas, au contraire, accueillir avec miséricorde le suppliant s'il se présentait à eux dans cette attitude pour leur demander la permission de conserver en vertu d'un don royal les biens qu'il avait usurpés? Les plus énergiques et les plus résolus estimèrent qu'il fallait entreprendre le siège, forcer les ennemis et même incendier complètement le pays envahi. Aussi, quand on eut rassemblé six mille cavaliers, marcha-t-on contre l'ennemi; on gagna la ville à temps, on y mit le siège et l'on choisit un emplacement pour le camp, qu'on entoura de fossés et de remparts.

19. — Après de nombreuses journées, les rois n'avaient pas encore réussi à forcer l'ennemi ni à l'entamer. L'élévation de la ville et l'escarpement de ses abords la rendaient inexpugnable. Les jours d'automne, trop courts, étaient insuffisants pour

les opérations. D'autre part, les nuits prolongées fatiguaient les sentinelles par leur durée. Aussi, après avoir tenu conseil avec les grands, les rois rentrent-ils chez eux avec l'intention de revenir à l'époque du printemps. Après leur départ, Charles fait le tour de la ville ; il examine tous les points qui paraissent accessibles aux ennemis, obstrue les portes par lesquelles ceux-ci pourraient entrer facilement, bouche les entrées dérobées qui se dissimulent derrière les maisons, restaure les murs qui tombent de vétusté, agrandit et fortifie la tour à l'intérieur et à l'extérieur en l'étayant de solides constructions.

20. — Evasion de l'évêque. — L'évêque, qu'on tenait prisonnier dans une pièce fermant à clef, descendit une nuit par la fenêtre à l'aide de cordes et s'évada sur un cheval. Pour témoigner qu'il n'avait pas soutenu Charles, il se rendit auprès des rois et se justifia de ce grave soupçon, car il redoutait les insinuations que pourraient forger contre lui des calomniateurs en prétendant qu'il s'était prêté à son propre emprisonnement. Le roi l'accueillit comme un homme resté fidèle et lui conserva ses bonnes grâces.

21. — Entre temps, on était sorti des rigueurs de l'hiver et la température était devenue plus douce ; le printemps souriait à la nature et faisait reverdir les prés et les champs. C'est alors que les

rois levèrent une armée pour attaquer la ville avec huit mille hommes. Ils commencèrent par entourer leur camp d'un rempart et d'un fossé; puis on dressa un bélier pour essayer de démolir les murs.
....

23. — Hugues s'éloigne de Laon avec son armée. — En se prolongeant pendant des jours et des jours, le siège de la ville avait fini par fatiguer les assaillants par les veilles, les corvées et les fréquents combats qu'il leur imposait. Aussi, un jour que les sentinelles du camp étaient alourdies par le vin et le sommeil, des fantassins de la garnison, excités par le vin, parvinrent en armes jusqu'au camp. Des cavaliers armés les suivaient par derrière, attendant les événements et prêts à tomber sur l'ennemi si l'occasion se présentait et si la fortune favorable présageait un succès.

Lorsque, arrivés à proximité du camp, les fantassins virent les sentinelles assoupies, ils y mirent le feu. L'incendie chargea l'atmosphère d'une fumée qui non seulement gênait la vue par sa noirceur affreuse, mais encore provoquait des suffocations au nez et à la gorge par les vapeurs épaisses qu'elle dégageait. Aussitôt les fantassins se mirent à pousser des cris, les cavaliers à sonner de la trompette. Le roi et sa suite, effrayés du bouleversement des éléments, des cris bruyants des gens, du son des trompettes, quittèrent la ville, car Hugues voyait son camp anéanti, avec les approvisionnements et tous les objets qui s'y trouvaient: aussi décida-t-il de ramener momentanément son armée en arrière afin de préparer une nouvelle avance avec des troupes plus importantes. Tous ces événements eurent lieu au mois d'août.

24. — Mort de l'archevêque Adalbéron. — Peu après, l'archevêque ....
....
expira le 10 des calendes de février, payant ainsi son tribut à la nature.

Le roi, arrivant opportunément le jour même, fut accueilli dans la ville. Aux obsèques du pontife, il manifesta une profonde tristesse, et ses plaintes ne furent pas sans s'accompagner de larmes. Il fit ensevelir le corps du prélat en grande pompe. Il consola avec une extrême sympathie les habitants privés de leur seigneur. Quand on leur demanda s'ils entendaient rester fidèles au roi et défendre la ville, ils jurèrent fidélité et promirent de la défendre. Après cet engagement par serment, le roi leur accorda la liberté de se choisir le seigneur qu'ils voudraient, puis il les quitta pour venir à Paris.

25. — Comment Arnoul fut candidat a l'archevêché. — Satisfait du dévouement et de la fidélité des habitants de Reims, le roi séjournait à Paris quand Arnoul, fils de Lothaire, lui fait demander l'archevêché de Reims par des personnages de l'entourage royal. Il se déclare disposé à

abandonner son oncle Charles ; il engage sa foi, promet de venger l'injure faite au roi, de s'employer de toutes ses forces contre les ennemis du roi et de lui restituer sous peu la ville de Laon, dont ceux-ci se sont emparés. Satisfaits, les familiers du roi conseillent d'accorder immédiatement l'évêché au postulant en faisant observer au roi qu'il ne perdra rien à faire droit à la requête d'un homme qui s'offre à le servir et à lui rester fidèle; qu'au contraire, il retirera un grand profit d'une mesure qui procurera le bonheur de tout le monde. Cédant à leurs suggestions, Hugues se rend à Reims pour notifier cette candidature aux habitants, afin qu'on ne lui reproche pas d'avoir trahi ses engagements.

....

Arnoul fut consacré par les évêques de la province de Reims et revêtu solennellement par eux des ornements épiscopaux. Peu après il prit le *pallium* apostolique que lui avait envoyé le pape romain.

32. — Affection excessive d'Arnoul pour Charles. — Lorsqu'il fut pourvu de cette dignité éminente, Arnoul songea à l'infortune qui faisait de lui, avec Charles, le seul survivant de sa race. N'était-il pas lamentable que ce dernier, en qui résidait le seul espoir de relèvement pour sa dynastie, fût frustré de tout honneur ? Il s'apitoya sur son oncle, lui consacra ses pensées, son affection ;

il le chérit à l'égal de ses parents, chercha avec lui comment le pousser au faîte des honneurs sans paraître toutefois trahir le roi.

33. — Prise de reims. — Il imagina un moyen d'y parvenir en convoquant dans la ville à une date fixée le plus possible de grands, sous le prétexte d'une délibération importante. Charles arriverait alors, dans le silence de la nuit, avec une armée jusqu'aux portes de la ville. Il se trouverait quelqu'un pour ouvrir les portes à l'armée assaillante ; cette personne aurait juré de garder le secret. L'armée une fois introduite, pénétrerait dans la ville, saisirait Arnoul en même temps que tous les grands réunis ; elle les prendrait de force et les mettrait en prison. On aboutirait ainsi à affaiblir le pouvoir royal, à augmenter la puissance de son oncle et lui-même ne passerait pas pour un traître. Ce plan fut exécuté.

34. — Arnoul invite les comtes G. et G.[1], ainsi que d'autres comtes. Il leur notifie qu'il a une affaire importante à régler et que, par conséquent, il leur convient de se hâter. Ceux-ci arrivent sans délai pour montrer qu'ils sont tout prêts à obéir à leur seigneur. Arnoul leur donne le change ; il dissimule complètement ses véritables projets. Tout le monde ignore ses intentions réelles. Arnoul

---

1. Gilbert, comte de Roucy, et Gui, comte de Soissons.

ne les confie qu'à un seul homme, dont il ne suspecte ni la discrétion ni la fidélité. Il lui fait connaître la nuit où Charles doit être introduit dans la ville et lui ordonne de venir prendre alors sous son oreiller les clefs des portes et d'ouvrir la ville aux hommes d'armes.

La nuit convenue pour le crime ne tarda pas à arriver. Charles et son armée arrivèrent de nuit à l'heure fixée devant les portes de la ville. Le prêtre Augier — c'était le nom de l'homme — se présenta à l'intérieur avec les clefs. Il ouvrit aussitôt les portes et fit pénétrer l'armée. La ville fut pillée et mise à sac par les brigands.

35. — ARNOUL EST FAIT PRISONNIER AVEC SON ENTOURAGE. — Les cris qu'on poussait dans la ville et le tapage fait par les gens qui couraient de tous côtés éveillèrent les habitants surpris. Arnoul, aussi, feignit d'être ému par les cris et, simulant la peur, se dirigea vers la tour à laquelle il monta. Les comtes le suivirent et verrouillèrent les portes derrière eux. Charles, qui cherchait Arnoul et ne le trouvait pas, fouillait partout pour trouver sa cachette. Quand il la découvrit au sommet de la tour, il mit aussitôt des gardiens à la porte. Arnoul et les siens, qui ne s'étaient pas pourvus de vivres ni d'armes, se rendirent à Charles et sortirent de la tour.

36. — On les saisit et on les mena à Laon, où on les confia à des gardiens. Quand Charles revint

pour exiger d'eux un serment de fidélité, ils refusèrent à l'unanimité. De part et d'autre, on simula des sentiments de haine et on ne laissa paraître aucune tendre affection. Charles et Arnoul firent semblant de s'adresser des reproches, en se traitant l'un de traître et l'autre d'envahisseur. Finalement Arnoul, ayant prêté serment de fidélité, fut mis en liberté et retourna chez lui. A partir de ce moment il prit complètement parti pour Charles et brisa le lien juridique de fidélité qui l'attachait au roi. G(ilbert) et G(ui), qui étaient restés en prison pendant quelques jours, ayant prêté serment peu après, furent autorisés à rentrer chez eux. Charles, fort de son succès, se rendit maître de la métropole de Reims, ainsi que de Laon, de Soissons et des places fortes qui dépendaient de ces villes.

37. — CAMPAGNE D'HUGUES. — Quelqu'un vint rapporter le fait aux oreilles du roi. Blessé par cette offense, celui-ci s'interrogea sur les mesures à prendre et reconnut qu'on ne pourrait venir à bout de la révolte ni par des prières ni par des présents, mais qu'il fallait, avec l'aide de Dieu, recourir à la force et aux armes. Il leva donc six mille hommes pour marcher contre l'usurpateur, avec l'intention de l'assiéger si ses forces le lui permettaient et, la fortune aidant, de poursuivre la lutte jusqu'à ce qu'il eût réduit l'ennemi par les armes ou la famine.

Il partit plein de fougue et conduisit l'armée à

travers les terres d'où ses adversaires tiraient leur
blé. Il les dévasta de fond en comble et les incendia
avec une telle sauvagerie qu'il n'épargna pas même
la chaumière d'une vieille femme tombée en
enfance; puis, dans sa précipitation, il se retourna
contre l'ennemi pour tâcher de l'assiéger. Charles,
qui s'était ménagé des forces, tenta de résister
énergiquement à l'assaillant. Il avait levé quatre
mille combattants à Laon et était résolu à ne pas
bouger s'il n'était pas poursuivi et à résister s'il
était attaqué.

38. — L'armée est répartie en trois corps.
— Tandis qu'il faisait avancer son armée, le roi
vit les troupes de Charles disposées pour le combat.
Il fractionna alors son armée en trois divisions,
dans la crainte qu'alourdie par sa trop grande
masse elle ne perdît de sa force. Il forma trois
corps; le premier devait engager l'attaque, le
second apporter du secours en cas de défaillance
et fournir des renforts, le troisième enlever le
butin. L'armée ainsi répartie et disposée, le premier corps avança sous les ordres du roi, enseignes
déployées, pour engager la bataille; les deux
autres, en réserve en des endroits prévus, se
tenaient prêts à venir au secours.

39. — Charles, avec ses quatre mille hommes,
s'avançait en sens opposé, priant la Divinité
suprême de protéger sa petite armée contre ses
adversaires innombrables et de prouver qu'on ne

doit pas se fier au nombre ni s'inquiéter de la faiblesse numérique. Arnoul l'accompagnait dans sa marche : on le voyait exhorter ses hommes à tenir courageusement et à s'avancer en ordre, sans se débander. « Il ne faut pas, disait-il, désespérer d'obtenir la victoire de Dieu. Si, après avoir invoqué Dieu, nous tenons bon, nous gagnerons vite une victoire glorieuse et retentissante. »

Les deux armées progressèrent jusqu'à ce qu'elles fussent en vue l'une de l'autre. Elles s'arrêtèrent alors et hésitèrent. Des deux côtés, l'indécision était grande. Charles manquait de troupes et la conscience du roi lui reprochait d'avoir agi injustement en dépouillant Charles d'une dignité héréditaire et en s'appropriant le trône. Les deux chefs persistèrent dans leur hésitation. Enfin, les grands suggérèrent avec à-propos au roi de rester quelque temps avec son armée sans s'avancer, de façon à pouvoir engager le combat si l'ennemi s'approchait et se retirer avec elle si personne n'attaquait. Charles prit une décision identique, si bien que les deux armées restèrent toutes les deux sans bouger, puis battirent en retraite. Le roi ramena son armée et Charles se retira à Laon.

41. — Habile complot dirigé contre Charles et Arnoul. — Dès lors Adalbéron, évêque de Laon que Charles avait emprisonné et qui s'était ensuite échappé, s'ingénia à saisir une occasion de prendre Laon à son tour et de s'emparer de Charles. Il

envoya à Arnoul des messagers très propres à cette besogne pour lui offrir son amitié, sa fidélité et son assistance. Il veut, disait-il, se réconcilier avec Arnoul, puisque celui-ci est son archevêque. Il est blessé de s'entendre traiter de transfuge et de traître pour ne s'être pas soumis à Charles après lui avoir juré fidélité, et, s'il en a les moyens, il tient à effacer cette honte. Il désire rentrer en grâce auprès de Son Altesse et recherche l'amitié de Charles qui est son seigneur. Pour conclure, il offre à Arnoul de s'aboucher avec lui dans un endroit de son choix.

Sans soupçonner l'hypocrisie, Arnoul accueille les messagers venus pour le duper et les traite avec beaucoup d'égards, comme les messagers d'un homme loyal. Il leur indique avec empressement l'endroit où doivent avoir lieu l'entrevue et l'entretien. Ceux-ci, heureux d'avoir fait une dupe, rapportent tout cela à leur maître, qui, voyant qu'on a réussi à semer les germes du complot, observe que ses machinations perfides vont pouvoir être poussées plus loin. La rencontre a lieu à l'endroit fixé. Tous deux s'adressent des compliments, qu'ils accompagnent d'embrassements multiples et de baisers. Leurs démonstrations d'affection sont si vives que personne ne peut croire à un mensonge ni à une supercherie.

42. — MACHINATION HYPOCRITE D'ADALBÉRON — Quand ils eurent terminé leurs embrassades et

leurs baisers, Adalbéron, qui avait adopté une attitude hypocrite et qui cherchait à mentir, entama ainsi la conversation avec son interlocuteur, qui était sans défiance :

« Une même infortune, un même mauvais sort nous étreint malheureusement tous les deux. Aussi devons-nous adopter les mêmes résolutions et la même ligne de conduite. Nous venons de perdre, vous la faveur du roi, moi l'amitié de Charles. C'est pourquoi vous soutenez maintenant Charles et moi le roi. Celui-là a grande confiance en vous, comme celui-ci en moi. Si vous réussissez donc à me ramener l'affection de Charles, vous ne resterez pas privé de la faveur royale. La chose ne présentera pas de difficultés. Allez trouver Charles et plaidez en ma faveur, s'il vous y autorise. Il ne sera pas inutile de vous étendre sur les engagements que je devrai prendre envers lui. S'il vous paraît qu'il conserve des doutes à cet égard, dites-lui de me mettre à l'épreuve en me déférant le serment. S'il met cette condition pour me rendre mon siège épiscopal, qu'il me présente des reliques de saints; je suis prêt à jurer. Si cela lui suffit et s'il me rend l'évêché, vous pourrez compter sûrement sur la faveur royale. Voyez cette langue et cette main; elles disposent de la paix ou de la discorde.

« J'irai trouver le roi, je m'engagerai à lui procurer un bien, dont non seulement lui, mais encore ses héritiers profiteront. Je révélerai les machinations de Charles. Je montrerai le tort qu'il a fait au trop confiant archevêque et je soutiendrai avec insistance que l'archevêque s'en repent amèrement. Le roi, qui a naturellement confiance en moi, accueillera mes déclarations avec une grande satisfaction. Notre objectif étant double, deux biens en résulteront, et ces deux biens en feront jaillir un troisième, car, en recouvrant, vous la faveur royale, moi celle de Charles, nous rendrons service aux autres par voie de conséquence. Mais trêve de paroles. Il faut maintenant passer des discours aux actes. »

Après s'être embrassés avec effusion, ils se quittèrent sur ces promesses.

43. — Arnoul égare involontairement Charles, son oncle. — Arnoul va trouver Charles. Il lui vante Adalbéron, sans savoir qu'il est un imposteur. Il déclare même que l'évêque lui rendra de grands services et respectera la foi jurée. Dans son erreur, il va jusqu'à lui persuader qu'Adalbéron est au-dessus de tout soupçon. Charles approuve son neveu, s'engage à suivre ses conseils et ne refuse pas de rendre l'évêché.

Pendant qu'on délibérait loyalement chez Charles, Adalbéron s'entretenait avec le roi de Charles, d'Arnoul et de la prise de la ville et, en lui exposant les combinaisons rapportées plus haut, il le flattait du grand espoir qu'il avait de reprendre la ville. Peu après, Arnoul envoie des messagers à

Adalbéron pour l'informer que son pardon lui a été accordé généreusement par Charles, qu'il sera accueilli en grande pompe dans la ville et qu'il recouvrera aussi sans retard ses fonctions. Qu'il ne s'attarde pas, mais qu'il arrive au plus vite pour profiter de la libéralité qui lui est promise.

44. — ADALBÉRON TROMPE CHARLES ET ARNOUL EN LEUR PRÊTANT SERMENT. — Adalbéron partit aussitôt pour rencontrer Charles et Arnoul à l'endroit désigné. Il reçut d'eux un accueil cordial et sa venue ne leur causa pas une joie médiocre. Après une légère et courte allusion, ils laissèrent de côté les querelles passées. Ils exposèrent les raisons diverses qu'ils avaient de resserrer leurs liens d'amitié, insistèrent sur les avantages qu'ils retireraient d'une pratique loyale de l'amitié. Quelle gloire, quel honneur, quelle sécurité ce seraient! Ils formèrent le souhait de voir sous peu le triomphe de leur parti et la chute de leurs ennemis. Rien ne pourrait y faire obstacle, à moins que Dieu lui-même ne s'y opposât. Si leurs vœux se réalisaient, un jour viendrait où, grâce à eux, l'Etat florissant serait comblé d'honneur, de gloire. Sur ces paroles, ils prêtèrent mutuellement serment et se séparèrent. Adalbéron se rendit alors chez le roi pour lui exposer ce qu'il avait fait.

Après l'avoir entendu, le roi approuve sa tactique; il promet de recevoir Arnoul, si celui-ci se présente, d'écouter favorablement sa justification et de le traiter avec la même faveur qu'auparavant, s'il réussit à se disculper. Adalbéron rapporte ces paroles à Arnoul; il l'assure de la bienveillance et de la clémence royales; il lui déclare que le roi est disposé à entendre sa justification et à lui rendre immédiatement ses bonnes grâces. Qu'Arnoul se hâte donc et vienne au plus tôt présenter sa requête, qu'il se rende vite chez le roi, dans la crainte que des intrigues ne modifient ces intentions.

Tous deux s'en vont donc trouver le roi.

45. — Arnoul se rend chez le roi pour obtenir son pardon. — Arnoul fut introduit auprès du roi et reçut de lui un baiser. Puis, comme il voulait se justifier des accusations portées contre lui, le roi lui répondit qu'il lui suffisait de le voir renoncer au passé et lui garder à l'avenir une fidélité inébranlable. Il n'ignorait pas, ajoutait-il, qu'Arnoul avait eu la main forcée par Charles, que c'était sous l'empire de la nécessité qu'Arnoul s'était séparé momentanément de lui et avait, bon gré mal gré, soutenu Charles. Mais, puisque l'on ne pouvait revenir sur le mal qui avait été fait, il était juste tout au moins qu'Arnoul réparât de quelque façon le dommage à lui causé par la perte de la ville. Que si le roi ne pouvait plus l'occuper dans les mêmes conditions qu'auparavant, Arnoul devait du moins s'employer à lui assurer la soumission de Charles et amener ce der-

nier à tenir de lui les biens dont il s'était emparé.

Arnoul promit de le faire ainsi que bien d'autres choses encore, pourvu que le roi lui rendît ses bonnes grâces et le traitât avec les honneurs dus à un métropolitain. Le roi lui accorda sa grâce et l'autorisa à jouir en sa présence des plus grands honneurs. C'est ainsi que, le jour même, pendant le repas, on le fit asseoir à la droite du roi, tandis qu'Adalbéron se tenait à la gauche de la reine. Après quoi, Arnoul prit congé du roi. Il rapporta à Charles les excellentes dispositions du souverain; il lui raconta les honneurs avec lesquels il avait été reçu chez lui et se vanta fort d'avoir ses bonnes grâces. Depuis lors, il chercha à réconcilier le roi et Charles et à se ménager leur faveur.

46. — ADALBÉRON EST REÇU PAR CHARLES. — Pendant ces événements, Adalbéron quitte le roi et se rend auprès de Charles; il est reçu à Laon en grande pompe. Ses familiers, qui avaient été exilés auparavant de la ville, reviennent près de lui. Ils vaquent à leurs affaires personnelles comme jadis, sans se douter de rien et avec l'espoir d'avoir désormais la paix. Adalbéron revoit le clergé qu'il avait quitté, lui exprime sa sympathie, l'assure de sa bienveillance, l'invite à ne pas l'abandonner; puis, une fois terminé son entretien avec son entourage, il se rencontre avec Charles, qui lui demande des gages de sa fidélité et des garanties pour la ville.

Charles débute ainsi : « Puisque la Divinité, qui est toute miséricorde, agit avec miséricorde même lorsqu'elle punit, je reconnais que c'est par un juste jugement de sa part que j'ai été chassé, puis rappelé. C'est à son équité que je dois d'avoir été accueilli dans cette ville. J'attends le reste de sa bonté. C'est elle, j'en suis convaincu, qui vous a rendu à moi, vous ainsi que la ville. Je demande maintenant que ce qui m'a été rendu par Dieu me reste attaché. Voici de saintes reliques ; posez votre main dessus et prêtez-moi serment de fidélité envers et contre tous. Ne faites aucune réserve si vous voulez être mon compagnon. »

Adalbéron, désireux d'arriver à ses fins, promet ce qui lui est demandé. Il étend sa main sur les reliques saintes, sans craindre de jurer tout ce qu'on lui propose. Il inspire ainsi confiance à tout le monde et n'éveille les soupçons de personne. On ne l'écarte d'aucune négociation. S'agit-il des fortifications de la ville, c'est lui qui discute et décide. Il s'enquiert des affaires de chacun ; il est le conseiller de tous. Ses sentiments demeurent inconnus et ignorés de tout le monde.

47. — CHARLES FAIT PRISONNIER PAR ADALBÉRON. — Lorsqu'il a bien observé les habitudes de Charles ainsi que celles de son entourage et senti que personne ne le soupçonne, il combine toutes sortes de ruses pour reprendre la ville, s'emparer de Charles et le livrer au roi. Il multiplie ses entre-

tiens avec Charles en lui prodiguant de plus en plus des témoignages d'amitié. Il offre même, s'il le faut, de s'engager par des serments plus étroits. Les précautions qu'il prend sont si habiles qu'il réussit à dissimuler complètement ses machinations sous ses apparences hypocrites.

Or, une nuit où il était assis à souper gaîment, Charles, qui tenait une coupe où il avait rompu son pain pour le faire tremper dans du vin, la lui tendit, après mûre réflexion, en disant : « Puisque aujourd'hui, conformément aux décrets des pères, vous avez sanctifié les palmes et les rameaux, consacré le peuple de vos saintes bénédictions, et puisque vous nous avez offert l'eucharistie, dédaignant les accusations de médisants qui me disent de me défier de vous, je vous offre, à l'approche de la Passion de Notre-Seigneur et Sauveur Jésus-Christ, ce vase qui convient à votre dignité avec le vin et le pain rompu. Videz cette coupe en signe de la fidélité que vous m'avez jurée et que vous devez me garder. Mais, si vous n'avez pas l'intention de la garder, ne touchez pas à cette coupe pour ne pas donner à nouveau le spectacle horrible de Judas le traître ! »

Adalbéron répondit : « Je prendrai le vase et je boirai volontiers le breuvage. » Charles continua aussitôt pour l'inviter à ajouter : « Et je garderai ma foi. » Adalbéron poursuivit en même temps qu'il buvait : « Et je garderai ma foi. Sinon que je périsse avec Judas ! » Il proféra encore beaucoup d'autres imprécations du même genre en présence des convives.

La nuit qui allait être témoin du malheur et de la trahison tombait. On décida de se reposer et de dormir jusqu'au matin. Adalbéron, qui préparait ses machinations criminelles, écarta, pendant le sommeil de Charles et d'Arnoul, les épées et les armes qu'ils avaient à leur chevet et les déposa dans une cachette. Il fit venir le portier qui n'était pas au courant de sa trahison pour lui ordonner de faire une course pressée et d'appeler un de ses compagnons ; il lui promit de garder la porte en son absence. Celui-ci parti, Adalbéron se posta au milieu de la porte, en tenant une épée sous son vêtement. Tous ses complices qui étaient au courant de son projet criminel furent aussitôt introduits par ses soins. Charles et Arnoul, accablés par le sommeil du matin, reposaient. Leurs ennemis se présentèrent en troupe devant eux Aussi, lorsque, se réveillant, ils aperçurent leurs adversaires, sautèrent-ils à bas de leur lit et cherchèrent-ils à prendre leurs armes, qu'ils ne trouvèrent pas. Ils se demandèrent alors ce que signifiait cet événement matinal.

Adalbéron leur dit alors : « Puisque vous m'avez enlevé jadis cette place et que vous m'avez forcé à la quitter et à m'exiler, eh bien ! vous aussi, vous en serez chassés ; mais votre sort sera différent du mien, car je suis resté indépendant, tandis que vous tomberez au pouvoir d'autrui. »

Charles lui répondit : « Je me demande avec une grande surprise, ô évêque, si tu te souviens du repas d'hier ? Est-ce que du moins ton respect pour la Divinité ne t'arrêtera pas ? N'est-ce rien qu'un serment ? Ne sont-ce rien que les imprécations du repas d'hier ? » En disant ces mots, il se précipite sur son ennemi. Les hommes armés entourent le furieux et le rejettent sur le lit pour le maintenir. Ils s'emparent aussi d'Arnoul. Ils se saisissent des deux hommes et les renferment dans une même tour; ils garnissent cette tour de serrures, de verrous, de barres et y placent des gardiens.

Cependant, des cris de femmes et d'enfants et des gémissements de serviteurs qui montaient jusqu'au ciel jetèrent le trouble dans la ville et réveillèrent les habitants. Tous les partisans de Charles essayèrent aussitôt de se sauver en s'enfuyant. Ils y réussirent tout juste, car à peine venaient-ils de fuir qu'Adalbéron ordonna de fermer entièrement la ville pour pouvoir se saisir de tous ceux qu'il considérait comme ses adversaires. On les chercha, mais sans les trouver. Ils parvinrent même à emmener à la dérobade un fils de Charles, âgé de deux ans, qui portait le même nom que son père et qui échappa ainsi à la captivité.

Adalbéron envoya en toute diligence des messagers au roi, qui était à Senlis, pour lui annoncer que la ville qui avait été perdue autrefois venait d'être recouvrée, que Charles avait été fait prisonnier avec sa femme et ses enfants et qu'Arnoul avait été trouvé et pris au milieu des ennemis. Il lui conseilla de venir sans tarder avec le plus grand nombre d'hommes possible, de se hâter de lever une armée, d'envoyer des messagers à tous les voisins en qui il avait confiance pour les inviter à le suivre et de venir immédiatement, même avec une faible escorte.

48. — Le roi entre a laon après l'emprisonnement de charles et d'arnoul. — Le roi prit avec lui tous les hommes qu'il put trouver et gagna Laon sans délai. A son arrivée dans la ville, il fut reçu avec les honneurs dus à un roi. Il s'enquit du sort de ses fidèles, de la prise de la ville, de la capture des ennemis et fut renseigné sur ces points. Il convoqua le lendemain les habitants pour les entretenir de leur devoir de fidélité. Comme, après avoir été pris, ils étaient passés sous une autre domination, ils s'engagèrent à être fidèles au roi et lui prêtèrent serment. La sécurité rétablie dans la ville, le roi rentra à Senlis avec les prisonniers ennemis. Il interrogea alors ses fidèles pour leur demander conseil.

49. — Conseils donnés au roi au sujet de charles. — Les uns étaient d'avis qu'il fallait prendre comme otages tous les fils et les filles de Charles, homme illustre et de race royale, et exiger de lui un serment de fidélité au roi. Il s'engagerait à ne jamais revendiquer le royaume de France et

même à déshériter ses enfants. A leur avis, Charles ne devait être relâché qu'à cette condition. L'opinion des autres était la suivante : ne pas délivrer immédiatement un personnage si illustre, d'une race si ancienne, mais le garder chez le roi jusqu'à ce que sa captivité ait provoqué des manifestations d'indignation; examiner alors si, par leur nombre, leur rang, leur chef, ces manifestants méritaient d'être qualifiés d'ennemis du roi de France ou s'ils étaient négligeables. Si ces partisans étaient peu nombreux et négligeables, il faudrait garder Charles; si, au contraire, c'étaient des personnages importants et nombreux, il conviendrait de remettre Charles en liberté, sous les conditions mentionnées plus haut. En conséquence, le roi fit emprisonner Charles, sa femme Adélaïde, son fils Louis, ses deux filles, dont l'une s'appelait Gerberge et l'autre Adélaïde, ainsi que son neveu Arnoul.

TABLE DES MATIÈRES

INTRODUCTION.	HISTOIRE LITTÉRAIRE ET HISTOIRE GÉNÉRALE	7
CHAPITRE	I. LES *ESCHELES* DE BALIGANT ET LA GUERRE D'ÉPIRE	25
—	II. *LA CHANSON DE ROLAND* ET LES HISTORIENS DES CROISADES	45
—	III. LA *GESTE FRANCOR*	55
—	IV. LA DATE DE LA VERSION D'OXFORD	79
—	V. LA PREMIÈRE *CHANSON DE ROLAND*	107
—	VI. *LA CHANSON DE ROLAND* ET LE CHANGEMENT DE DYNASTIE .	125
—	VII. LA NAISSANCE DE L'ÉPOPÉE CAROLINGIENNE	141
—	VIII. LA NAISSANCE DE LA PREMIÈRE *CHANSON DE ROLAND*	155
—	IX. BLANCANDRIN, LES NORMANDS D'ITALIE ET *LA CHANSON DE ROLAND*	177
—	X. L'HISTOIRE DE *LA CHANSON DE ROLAND*	201
—	XI. CONCLUSION	229
APPENDICE	I. L'ARMÉE DE BALIGANT	257
APPENDICE	II. TABLEAU GÉNÉALOGIQUE DE *LA CHANSON DE ROLAND*	267
APPENDICE	III. LA CHANSON DE *GAYDON*	269
APPENDICE	IV. LA LUTTE DE CHARLES DE LORRAINE ET DE HUGUES CAPET.	275

ACHEVÉ D'IMPRIMER
LE 31 JANVIER 1950
PAR GASTON MAILLET ET Cie,
IMP., SAINT-OUEN (SEINE).
N° D'ÉDITION : 1066
DÉPOT LÉGAL : 1943 & 1950/1er

IMPRIMÉ EN FRANCE